老いを育む

柏木哲夫

三輪書店

まえがき

厚生労働省は住民基本台帳を基に、国内に住む一〇〇歳以上の高齢者の人数をまとめました。それによりますと、二〇二一年九月十五日現在、一〇〇歳以上になる人は、全国で合わせて八万六五一〇人で、二〇二〇年から六〇六〇人増えました。一九七〇年の三一〇人から、五一年連続で最多を更新しています。

書店には「老い」が書名の一部になっている書物がたくさん並んでいます。私も書いています（『「老い」はちっともこわくない』日本経済新聞社、一九九八）。日本は高齢者大国になったなあと思います。書物の題名に惹かれて、作者に興味をもって、目次の内容を見て、かなりの数の「老い」に関する本を読みました。内容は実にさまざまです。自らの老いの日常を細かく描写したものから、日本という国の文化的特徴と、そこで迎える老いとの関係を書いたもの、経済学の専門家が老いを「経済」という切口で書いたもの、歴史と老いの捉え方の変化等、実に千差万別です。

長年、精神科とホスピスで臨床に携わってきましたが、その経験から、人間の存在の要素として、身体、こころ、社会、魂、の四つがあると思っています。英語で言うと、physical, mental, social, spiritual です。この四つは互いに関係し合います。身体の具合が悪いと、精神的に不安定になります。精神状態が不安定だと、社会生活に支障をきたします。そして、魂は人間存在の中心にある最も重要な要素と考えられます。身体の痛みなどはすぐに理解できますが、魂の痛みは理解するのが難しいです。がん末期の患者さんが「これまでの自分の生き方は間違っていたのではなかろうか」と自分に問いかけるのは、魂の痛みですが、その痛みに聴き入るスピリチュアルケア師の介入が必要になります。

人が健康であるためには全人的に健康である必要があります。具体的にいうと、四つの側面で健康である必要があります。身体とこころと魂をもつ一人の人が、それぞれの側面で健康であり、他の人（社会）とのかかわり、すなわち社会的側面においても健康であるとき、初めて全人的に健康であるといえるのです。

本書では前記 四つの側面について書いたつもりですが、社会的側面と「たましい」の側面がやや弱い感じがいたしました。そこで、対談をさせていただいて、それを補うことを考えました。幸い鎌田 實先生と釈 徹宗先生が私との対談を引き受けてくださいました。

すでに老いを迎えておられる方々は、自らの老いを見つめ直すために、これから老いに向かわれる方々はよき老いの準備のために、読んでいただけると嬉しいです。

二〇二一年一一月

柏木哲夫

目次

老いを生きる

その一

医学的にみた老い

二〇一八年（平成三〇年）の日本人の平均寿命は、男性八一・二五歳、女性八七・三二歳になりました（二〇一九年厚生労働省発表）。二〇一九年（令和元年）には、一〇〇歳以上の高齢者が七万人を超えました。日本は超高齢社会になり、巷には「老い」に関する本があふれています。私の本箱にも『老いの意味―美わしい老年のために』（ポール・トゥルニエ著、ヨルダン社、一九七五）、『老いの品格』（松永伍一著、大和

書房、一九九八）、『老いる勇気―これからの人生をどう生きるか』（岸見一郎著、PHP研究所、二〇一八）、『老いること、死ぬこと』（鍋谷堯爾他著、いのちのことば社、二〇〇三）等のタイトルが並んでいます。老いに関する本を読んで感じることは、「老い」の捉え方が著者によってかなり違うということです。「老い」を受け入れる生き方と、「老い」に挑戦する生き方とでは日常生活の過ごし方がかなり違います。どんな老い方をするのがよいのか、どんな老い方が自分らしいのかをじっくり考えることが、この超高齢社会においては大切なのではないでしょうか。

老い方を考えるためには、「老い」について知る必要があります。長い間、精神科医、内科医、ホスピス医として臨床、研究、教育に携わってきた者として、老いを身体、こころ、社会、魂という四つの側面からみたいと思います。そして本書全体を覆う空気として「育む《はぐく》」というキーワードを使いたいと思います。「育てる」と「育む」は微妙に違います。「育む」には「大事に育てる」というニュアンスがあります。私は「老いを育てる」というより、「老いを育む」という表現のほうがよいのではと思っています。高齢者の背景を考えてみますと、プラス面としては豊かな経験に裏づけられた知識と生活の厚みがあり、マイナス面としては心身の機能の低下が挙げられます。まず、先に挙げた四つの側面のうち身体、特に医学面からみた老化について述べてみます。

身体機能の変化

老いた身体を育むためには、何はさておき老いた身体の特徴を知る必要があります。老いとともに体力は衰えますが、体力のピークは一七〜一八歳といわれています。それ以降は少しずつ体力が衰えます。運動機能のピークは二五歳前後です。水泳の選手や体操の選手を見ていると、このことがよくわかります。二〇代の選手が優勝するのは、体力のピークから数年かけて技を磨く必要があるからだと思います。技が重んじられるサッカーのようなスポーツでは、五〇歳を過ぎた三浦知良選手が現役選手として活躍していますが、水泳界ではそれはほぼ不可能です。

総合的老化は三五歳ごろに始まるといわれています。そんなに早く……と思う人も多いと思いますが、私は三八歳のときに、図らずも、専門家に二つの老化を指摘されました。一つは骨の老化です。急いで歩いていたときに道のくぼみに足を取られ、左足の背に激痛が走りました。X線画像を見た整形外科医は「中足骨の骨折です。骨の老化が始まっていますね」と言いました。私はびっくりして、思わず「私、まだ三八なのですが……」と言うと、医師は「骨の老化は三五歳くらいから始まります」と言いました。ギプスをし、三カ月余り不自由な生活を送りました。ギプス生活の間、かなり本を読みました。何となく活字に焦点が合わず、読みづらいので、眼科を受診しました。「老眼が始まっていますね」との答え。「私、まだ三八なのですが……」と私。「眼の老化は三五歳くらいから始まります」と眼科医。かくして、老化は三五歳から始まるというのを実体験しました。

身体機能の老化を運動機能、感覚機能、生理機能に分けて述べてみましょう。

1 運動機能

◉神経系

老化が進むにつれて動作が緩慢になります。俊敏な動きがしにくくなり、身体の動き全体にシャープさがなくなってきます。歩行が不安定で、物につまずきやすくなり、踏ん張りが利かずに転倒することがあります。特に下り階段は注意が必要です。あと数段で終わるとき、気の緩みからか脚がもつれることがあるので注意が必要です。

◉筋肉系

筋力は二〇歳前後をピークとして、加齢とともに低下していきます。握力だけは他の筋力に比べて加齢とともに低下しにくい傾向があります。他の筋力は四〇歳ごろから急速に低下します。筋力と並行して持久力も低下しますので、長く歩くのが困難になります。高齢者の筋線維は痩せてくるので、水分の貯蔵庫としての役割も減退し、このために高齢者は脱水症を起こしやすくなります。

◉骨格系

高齢者の骨は骨量が減り、いわゆる骨粗しょう症と呼ばれる状態になります。特に女性では閉経後のホルモンの関係で、骨粗しょう症の発生頻度は男性に比べて著しく高くなります。骨粗しょう症は、脊柱では体重によって椎体が徐々に押しつぶされ、猫背の原因になります。骨量が減りますと、転倒したときに骨折しやすくなります。関節は軟骨の老化による変性のために体重そのものや外力を十分吸収できなくなり、痛みが生じやすくなります。特に膝関節の痛みは加齢の進みとともに発生頻度が高くなります。

2 感覚機能

◉ 視覚

高齢者は加齢に伴う水晶体の調節力の低下により遠視に傾きます。また、夕方や夜間の室内照明を暗く感じるようになります。それと同時に文字を判読しにくくなります。特に小さな文字は読みにくく、長時間の読書により疲労感や頭重感が生じやすくなります。調節力の低下のため、遠くを見ていて、急に足元を見るとき等に距離感を間違ったりします。

◉聴覚

加齢による聴覚障害は、まず高音域に始まり、やがて日常会話の聞き取りに支障をきたすようになります。最近ではかなり性能がいい補聴器ができ、愛用者が増えています。ここで問題になるのが、聴力の低下だけではなく、語音の弁別能力の低下もある場合です。たとえば音声としては聞こえていても、その意味を理解していない場合です。このような機能低下は、単に聴力だけのものではなく、脳を含めた全体的な聴覚的理解力の低下と考えられます。

◉体性感覚、内臓感覚

触覚、痛覚、温度覚等の表在感覚、振動覚、関節位置覚等の深部感覚からなる体性感覚の他、のどの渇きや空腹感等の内臓感覚も低下します。高齢者のがんは痛みが少ないといわれるのは、表在感覚の低下が原因かもしれません。

3 生理機能

◉循環器系

高齢者の心機能の低下は、運動や病気で心臓に負担がかかると表面化します。心機能の低下とともに全身の動脈硬化も高齢者の健康にとって大きな問題です。動脈硬化に伴う血圧の上昇は、脳梗塞や脳出血の原因になります。

◉呼吸器系

高齢者では、肋骨と肋間筋の可動性と伸展性の低下のために胸部運動が低下します。それに肺そのものの弾力性も低下し、換気能が低下します。また、咳嗽《がいそう》反射が低下するため、痰の排出が十分でなくなります。

◉消化器系

消化液分泌量が減少し、胃腸の蠕動《ぜんどう》運動が低下します。唾液の分泌量も減り、口の渇きにつながります。先ほどの咳嗽反射の低下に加えて、咀嚼《そしゃく》機能の低下と嚥下《えんげ》反射の弱まりにより、誤嚥を起こしやすくなり、肺炎の主な原因になっています。大腸運動の低下、腹筋の弱まりにより、便秘に傾きやすくなります。

◉腎・泌尿器系

腎臓は代謝産物の排泄と水と電解質の調節をしていますが、老化とともに機能低下が進みます。尿路の変化では、膀胱頸部の拘縮、膀胱括約筋の硬化、前立腺肥大等により残尿、頻尿、排尿困難、失禁等が起こります。

◉造血器系

高齢者は一般に貧血傾向をもち、血清鉄、鉄結合能等も低下します。全体的に造血機能が低下します。

◉内分泌系

高齢者は内分泌器官の重量が減少し、機能低下が認められますが、各ホルモンの定量的分析では、加齢によって減少するもの、変化しないもの、増加するものがあって一様ではありません。ホルモン分泌の変化の原因が分泌器官の老化によるものか、他の原因によるものかは、はっきりしていません。

以上、老いを医学的な側面からみてきました。これからもわかるように、老いとは全身的な機能低下です。本人が感じているかどうかは別にして、精密に検査をしてみると、老いのためと思われる異常は必ず見つかります。高齢者が人間ドックに入ってみると、老化が原因と思われる検査所見の異常を多く指摘されます。それをどう受け取り、どう対処するかにはかなりの個人差があります。身体機能の低下をどう受け止め、機能をどう育むかは、「その二」で述べることにいたします。

その二

「鍛える」と「育む」

「その一」では医学的にみた「老い」について述べました。「老い」には、見た目にわかる老いと、わからない老いがあります。医学的にみた老いには、たとえば、便秘になりやすいとか、老人性の口の渇き等がありますが、これらは本人が自覚するだけで他人にはわかりません。「主観的老い」といえるかもしれません。それに対して「客観的老い」があります。人が見て、この人は高齢者とわかる老いです。白髪、皺、老

人斑等がそうです。その中で「隠せる老い」と「隠せない老い」があります。白髪は染めれば黒くなりますが、皺や老人斑は形成手術でもしなければ隠せません。皺は近くで見なければわかりませんが、遠くからでも「あの人は高齢者だ」とわかることがあります。高齢者独特の猫背と、つま先が上がらず歩幅が狭い「すり足」歩きです。

私自身が自分の老いをはっきりと自覚したのは脚の弱りです。一〇年ほど前、七〇歳ころからです。階段を下りるとき、あと数段というところで、脚がもつれて倒れそうになるのです。脚を鍛えなければと思いました。鍛えるというより、脚の力を育むと言ったほうが正確かもしれません。

老化は尾部頭部法則

人間の発達は上（頭部）から下（尾部）へ進みます。これを頭部尾部法則といいます。赤ちゃんは、首がすわる（頸部の筋肉の発達）→寝返り（胸と背中の筋肉の発達）

↓お座り（腰の筋肉の発達）↓這い這い（膝の筋肉の発達）↓つかまり立ち（足指の筋肉の発達）↓歩行の順で発達します。

老化や衰弱はこれとはまったく逆になります。いわば尾部頭部法則に従います。歩行困難↓歩行不能↓つかまり立ち↓這って移動↓座ったまま↓寝たきり↓寝返り不能↓首がまわせない↓死という順序です。老いは脚からです。

赤ちゃんは杖をつけない

発達を山登りに例えると、老化とは、登ってきた山の向こう側の新しい道を下っていく過程です。その過程の途中で、身体機能のうえでは発達の段階と同じレベルになることがあります。たとえば、赤ちゃんにも高齢者にも同じ「つかまり立ち」というレベルがあります。しかし、両者の「つかまり立ち」のレベルには決定的に違うことがあります。それは、高齢者の場合はこれまでの生活の知恵を利用できるということです。具体的にいえば、高齢者の場合、二本の足で歩けなくなっても、杖をついて三本足で歩くことができます。赤ちゃんは決して杖をついて歩けません。

老化の自覚

どんなことで老化を自覚するかにはかなり個人差があります。聴力が衰え、補聴器が必要になった人はそれが老いの自覚になるでしょうし、顔に大きな老人斑ができた人はそれが老化の象徴になるかもしれません。先ほど脚の弱りが私の老いの自覚であったと述べましたが、もう一点、身体が硬くなりました。身体が硬くなったことを自覚したのは、直立して腰を曲げたとき、手の指が床につかなくなったことです。

老いには非常に個人差があります。私は現在八二歳ですが、比較的元気で、歳より若くみられることが多いです。人の名前が出にくくなったことと、脚の弱りと硬くなった身体等で、「歳をとったなあ」とは思いますが。私が健康法として毎日実行して

いることがあります。それは真《まっ》向法《こうほう》と呼ばれる四種類の体操です。詳しくはウェブ（https://makkoho.or.jp/等）で調べていただきたいと思いますが、①足裏を合わせて座り、前屈と起き上がりを繰り返す、②両足を伸ばして座り、前屈と起き上がりを繰り返す、③脚を左右に開いて座り、前屈と起き上がりを繰り返す、④割り座で座り（ぺったん座り）、背を後ろに倒し、ゆっくりと腹式呼吸をするという簡単な体操です。それぞれ一〇回ずつなら三〜四分で終わります。私はこの真向法を、毎朝、約四〇年続けています。気軽にできる健康体操として、老化防止としてお勧めします。

もう一つ私が毎日していることは「ぶら下がり健康器」（**写真**）にぶら下がることです。ぶら下がって一〇〇を数えます（かなり速く）。肩こり、腰痛、猫背の予防と姿勢の矯正に効果があるようです。

脚を育む

一〇〇メートル走の桐生祥秀選手の、ジムでの練習風景をテレビで観ました。すごい練習量です。脚を鍛えていました。私がこれから書いていくのは高齢者の脚の力の衰えについてです。高齢者の身体の働きが年齢とともに衰えることは「その一」で述べました。衰えても日常生活にあまり支障をきたさない機能ときたす機能がありま す。人によって違うと思いますが、多くのご老人と接していて、自分で歩けなくなるのはかなりつらいことだと思います。私の母は自力歩行、一本杖歩行、二本杖歩行、シルバーカー、車いす、人的介助、ベッド上の生活と進みましたが、自分の力で移動ができないことのつらさをしばしば訴えていました。

加齢のため脚が弱るのは避けられません。しかし、できるだけ長く自分で移動できるように脚の力を育んでおくことが大切だと思います。高齢者の場合、鍛えるよりも育むことが大切だと思います。鍛えるとは現在の状態よりよくすることです。育むとは、これ以上弱らないようにするということです。高齢者の場合、育む努力をしなければ、どんどん脚の力は弱ります。

脚を育む具体的な方法

ご参考に、私が現在行っている脚を育む工夫をご紹介します。
・足踏み器　一〇〇回
・足開閉マシーンのペダルに脚をのせ、左右に開閉する　一〇〇回
・六キログラムのアレイを上げながらスクワット　一〇回（**写真**）

・ふくらはぎを摩擦、叩く、もむ　それぞれ三〇回

これを毎日かかさずに実行します。合計時間は一五分程度。

日常生活で脚を育むことを心がけています。駅の階段は二段ずつ上ります。エレベーターやエスカレーターは使いません。電車を待っているときは必ずかかとの上げ下げをします。小さなことですが、家の中で物を移動させるときはまとめて移動させずに何度かに分けます。そうすることによって歩数が増えます。日常生活の小さな工夫が老いを育むことにつながるのです。

その三

よき老いを生きる

物事のプラス面をみる

次は老いをこころの側面からみていきましょう。これまで述べてきたように、歳をとるにつれて、さまざまな身体機能が低下します。それは避けることができないのですが、それをどのように捉えるかは人によってかなりの違いがみられます。捉え方によって、その人の老後が幸せになったり、不幸になったりします。それほど「捉え方」は大切です。歳をとると、視力と聴力が低下することは避けられません。不思議なことに、この両方が同時に低下することは少なく、どちらかが早く始まります。そして、「視力は落ちたが、聴力は問題ない」という場合の表現が、人によって違います。「耳はよく聞こえるのですが、目が見えにくくて困っています」と言う人と、「目が見えにくいのですが、おかげさまで、耳はよく聞こえます」と言う人があります。前者は「目が見えにくくて困る」というマイナス面に意識がいっています。後者は「耳はよく聞こえる」というプラス面に意識がいっています。プラス面をしっかりみることが「よき老いを生きる」コツだと思います。

物事の捉え方が経過に影響する

まったく同じ状況で起こった身体の症状の捉え方によって、その後の経過が大きく異なった例を記したいと思います。二人の四〇代の会社員が乗っていたタクシーにトラックが追突し、二人はかなりひどい「むち打ち症」で入院しました。二人とも強い項部（首の後ろ）痛がありましたが、骨には異常がありませんでした。

A氏は、「えらい目に遭いました。でも、頭を打たなかったし、外傷もなかったので、それはよかったです」と言いました。そして一週間の入院で痛みが軽減し、退院し、一週間自宅で療養し、職場復帰しました。

B氏は追突したトラックの運転手を「許せない」と激しく責め、見舞いに来たときの態度が悪いと怒りをあらわにしました。検査に異常はなかったのですが、項部痛が軽減せず、退院まで一カ月かかり、以後も痛みがとれず、心療内科に数カ月通い、職場に復帰したのは半年後でした。

ほとんど同じ程度のけがであった二人の回復に大きな差が出たのはなぜだったのでしょう。それは事故をどう受け止めたかに大きな差があったからです。A氏は「事故に遭ったのは嫌なことだったが、大したことがなくてよかった」と捉えました。そして入院中に、これまで読みたいと思っていた『三国志』を毎日読んで過ごしました。B氏は加害者を責め、「なぜ自分はこんな目に遭うのか」と恨みの感情を強くもちました。「こんなに痛いのに検査に異常がないのはおかしい」と医療に対する不満も口にしました。起こったことに対する受け止め方によって、その後の経過がかなり違ってくるのです。

物事の「捉え方」によって、そのことがその人のその後の生き方に与える影響に差が出てきます。同じけがでも、それをどう捉えるかによってその後の経過が大きく異なります。前述の「むち打ち症」になった二人の方々はそのいい例です。老いの捉え方に関しても同じことがいえます。老いをどう捉えるかによって、老いの日々の過ごし方にかなりの差が出てきます。「捉え方」にいい、悪いはなく、あるのは「違い」だけだと私は考えています。「捉え方」はその人の個性の表れです。さまざまな個性が存在するのが世の中なので、さまざまな老いが存在するのはあたり前だと思います。

挑戦と育み

一〇〇メートル走の桐生祥秀選手がジムで脚を鍛えている様子については「その二」に書きましたが、まさに挑戦です。練習によって筋力や瞬発力を強化しようとしているのです。高齢者が脚の力を「育む」ことの大切さについても「その二」でお伝えしました。脚力の弱りは典型的な老化現象です。もう一つ、身体の柔軟性が低下するのも老化の現れです。私の場合、直立したままで前屈し、手先が床につかなくなりました。真向法の第二体操、「両足を伸ばして座り、前屈と起き上がりを繰り返す」で、以前は手首が足指へ届いていたのが、今は手の指先が足指にやっと届くだけになりました。それだけ身体が硬くなったのです。しかし、真向法を続けていなかったら、身体はもっと硬くなっていたと思います。今、真向法をやめれば、身体はすぐに硬くなるでしょう。そして手の指先が足指に届かなくなるでしょう。私にとって、真向法は身体の柔らかさを「育む」大切な日課なのです。挑戦は「現在の状態よりも少しでも前進するように頑張る」というニュアンスがあり、「育む」は「現在の状態が保てるように大切に扱う」というニュアンスがあります。

挑戦の老い

一〇五歳で亡くなられた日野原重明先生（一九一一－二〇一七、聖路加国際病院名誉院長）は老いに挑戦されました。これは有名な話なので多くの方がご存知だと思いますが、先生はかなり高齢になられても駅のエスカレーターやエレベーターは使わず、階段を上り下りされました。それもかなりの年齢まで二段ずつ上られたそうです。

あるとき私が「先生まだ二段ずつ上っておられますか」とお尋ねしたところ、「もう二段ずつは無理です。しかしエスカレーターやエレベーターは使わず階段を一段ずつ上っています。そして最後だけ二段上ります」と言われました。私はすかさず「先生なぜ最後に二段なのですか」とお尋ねしました。先生は「やがて最後の二段も難しくなると思います。でも、それまでは挑戦です」と言われました。

このエピソードは先生の典型的な挑戦の精神の表れだと思います。しかし挑戦だけではなく、ちゃんと折り合いをつけられました。階段が無理になり、移動するのにエスカレーターやエレベーターを使われるようになられました。しかし、一時間の講演を座らずに立ってされました。日本スピリチュアルケア学会での「スピリチュアルケア師」の資格認定式のときに、しっかりと立って認定証を渡される先生のお姿を見て、さすが日野原先生と感じました。先生の晩年のお姿を見ると「少しの挑戦と適切な折り合い」を見事に実現されたものと思います。

育むことと受け入れること

高齢者にとって夜間のトイレは大きな問題です。夜間に三回も排尿のために起きるのはつらいものです。睡眠不足にもなります。多くの場合、膀胱の老化現象が原因です。私もこの問題に悩みました。新聞に大きく宣伝されている民間療法も試みましたが、効果がありませんでした。友人の泌尿器科医に相談すると、「膀胱訓練」を勧められました。尿意を我慢する練習を、短い時間から始めて、少しずつ時間を延ばしていきます。尿意をもよおしてから一〇分、一五分と、排尿を我慢する時間をだんだん延ばしていきます。最終的に前回の排尿から二〜三時間我慢できるようになれば目標達成です。尿意を感じてから二〜三時間我慢するのは大変ですが、一時間程度ならできます。この膀胱訓練を始めてから、夜間起きるのは一〜二回になりました。できれば起きないで朝まで寝たいのですが、一〜二回なら「まずまずいいか」と思っています。

あきらめる、受け入れる、育む

あきらめること、受け入れること、育むこと。この三つには違いがあります。「あきらめる」という言葉にはマイナスイメージがあります。しかし、「あきらめる」という言葉は、もともと「つまびらかにする、いろいろな観察をまとめて、真相をはっきりさせる」という意味があったようです。「あきらかにみる」から「あきらめる」になったというわけです。

「受け入れる」は「拒むことなく許し、迎え入れる」という意味でプラスイメージがあります。脳梗塞の後、少し歩行障害が残った人が「あきらめた」と言うのと、「受け入れた」と言うのとでは、心の姿勢に微妙な差があります。

「育む」は「受け入れる」よりもプラスの度合いが強いように思います。「育む」は、もともと親鳥がひな鳥を羽で覆い包む「羽包む（はくくむ）」からきており、「愛情をもって」育てるというニュアンスがあります。

あきらめるはマイナス、受け入れるはゼロ、育むはプラスということになるかもしれません。老いという現象をあきらめるのではなく、それを受け入れて、さらに育んでいくという姿勢をもちたいものだと思います。

その四

老いのこころ

高齢者の知的能力

「若い者にはまだまだ負けません」と言う高齢者がありますが、やはり全体的には高齢者の身体的、精神的機能は若者より劣ります。たとえば、流動性知能というのがあります。これは短時間で課題を解決し、新しい状況に適応する能力です。具体的には、短時間で多くのことを覚える、計算する、流暢に話す等で、この能力は二〇代をピークに低下します。しかし、ある分野は高齢者のほうが優れている場合があります。たとえば言語能力は七〇歳でピークを迎えるといわれています。八〇歳の高齢者と二〇歳の青年が言語能力では同じといわれています。また、結晶性知能と呼ばれる統合力と判断力は歳とともに発達します。一般的にいえることは、想像力、統合力、理解力等は高齢になっても低下しにくく、計算力、記憶力、記銘力、想起力等は低下します。

高齢者の脳に起こる変化

脳の重量は年齢とともに減少します。脳重量の減少は六〇歳くらいから始まるといわれています。九〇歳になると若いころに比し一〇%（一〇〇～一五〇グラム）減少するといわれています。脳重量の減少は脳の萎縮によるもので、神経細胞や神経線維の減少がその原因と考えられており、前頭葉と側頭葉に起こりやすいといわれています。脳重量の減少とともに、神経細胞への色素沈着や脳の動脈硬化も起こり、これらが高齢者の知的能力の低下をもたらすと考えられています。

脳の器質的な変化の他に知的能力低下と関係すると考えられている要因は以下のようです。

（一）身体的な要因として、糖尿病や高血圧等の持病があること
（二）心理的な要因として、役割意識が乏しいこと。寂しさや孤立感があること
（三）社会的要因として、就業していない、社会参加が乏しい、余暇利用が少ない等

老いの自覚と高齢者のこころ

五〇歳を過ぎると老眼が始まったり、体力が落ちたりするので、「歳だなあ」という意識はあっても、まだ「高齢になったなあ」という意識はありません。老いを自覚す

るのは七〇歳を過ぎてからでしょう。老いの自覚をもたらす要因について考えてみましょう。

一．**身体的要因**

スムーズに歩けない。つまずきやすい。速く歩けない。視力が落ちた。聞こえにくい。白髪が増えた。歯が抜けた。体力が落ちた。疲れやすい。皮膚のたるみ。シミが増えた。

二．**心理的要因**

記憶力が落ちた。新しいことに関心が向かない。気力がない。物の置き場所を忘れる。人の名前が出てこない。大事な約束を忘れる。外出がめんどう。新しいことをするのがめんどう。

三．**社会的要因**

職業からの引退。子どもの独立。配偶者や友人との死別。周囲からの高齢者扱い。おじいちゃん、おばあちゃんと呼ばれる。

老いの自覚の年齢は極めて個人差が大きいことがわかっています。

能力の衰えによる心理的影響

身体的能力が落ちるに伴って、物事に対する自信がなくなり、意欲が低下し、不満や愚痴が多くなったり、ひがみが強くなったりします。いらだちの外部への投影として周囲への非難、怒り、攻撃的態度等がみられます。

身体的な衰えによる直接的な影響として、活動範囲が狭くなり、感動と喜びが減り、事故の危険性が増し、活動への不安感が増し、軽いけがで抑うつ反応を起こすことがあります。同年代の人の死が強い不安に結びつくこともあります。難聴や言葉の認知能力の低下により、二次的に猜疑心が強くなったり、自閉傾向が出てきたりします。

社会、環境因子による心理的影響

職場を去り、家庭内でも適当な役割を見いだせないと、「自己の無用感」を感じるようになり、それが意欲の低下につながり、孤独感に結びつき、自閉的になる場合があります。

自分の能力に自信がある人にとっては、役割の喪失は不当なこととして受け取られ、役割への固執、高齢者扱いされることの拒否、反動としての自己主張等がみられ、周囲からは頑固さ、意地っ張り、かたくなさ等と取られる態度が目立つようになる場合があります。

人生の過程そのものがもたらす心理的影響

老いの自覚は人生の終わり、すなわち死を感じることにつながります。同時に過ぎ去った人生に対して望郷の念に似た想いをもつようになります。これは高齢者の過去志向性と呼ばれ、時にはかたくなな過去の肯定というかたちをとることがあります。高齢者独特のかたくなさ、柔軟性の乏しさ、偏狭さ等は、過去を肯定的に捉え、残された余生をその延長として一貫させ、完成させようとする心理の反映と考えられます。

老いへの適応のパターン

米国の心理学者ライチャード（Suzanne Reichard、一九〇六‐一九六一）は老いへの適応のパターンを五つに分けています。

一．**円熟型**

日常生活で、衝動的でなく、思慮的、建設的、積極的で家庭や人間関係に満足している。若いころから仕事や役割に対して積極的に参加し、いろいろな趣味に強い興味と関心をもっており、高齢になっても何らかのかたちでどこかの社会集団に属している。スマートフォンのような新しい技術もおもしろがって使えるようになる。

二．**安楽椅子型（依存型）**

受け身的に老いを受け入れるタイプ。後は皆に任せて自分はのんびりという具合に、他人に依存しながら「気楽な隠居」であることを求める。積極的に新しいことには取り組まないが、誘われれば新しい環境への適応もできる。役割を果たしたり、責任をもったりすることを嫌がる。野心をもつこともなく、他人に対して迷惑をかけることも少ない。スマートフォンのような新しい技術も、それが自分を楽にさせる便利なものであることが理解できれば、使いこなせる。

三．**自己防衛型**

老いへの不安と恐怖から筋力トレーニング等を積極的に行い、強い防衛的な態度をとるタイプ。本来真面目で、過去の業績に強い自信をもっている。仕事をしない怠惰な生活は、身体的にも精神的にも人間を衰退させはしないかと恐れている。このタイプの人は他からの援助や世話を極端に嫌う。スマートフォン等の新しい技術も、使いこなせないと恥ずかしいから受け入れようとする。

四．内罰型

過去の人生全体を失敗と見なし、その原因が自分にあると考え、愚痴と後悔を繰り返すタイプ。仕事に熱心に取り組んできた反面、家族を顧みず、家族から相手にされないことを嘆くような高齢者。新しい技術にも適応しようとしない。

五．外罰型

自分の過去のみならず、老化も受け入れられないタイプ。過去を失敗と見なし、その原因を自分ではなく、環境や他者に責任転嫁する。不平不満が多く、周囲に対しても当たり散らすため、トラブルを起こす。

人は人生を背負って老いる

ライチャードはとても大切なことも述べています。それはこれら五つのパターンの中で、どれがいい、どれが悪いといった価値づけをしてはいけないということです。たとえば安楽椅子型のほうが外罰型よりもいいとか、円熟型が一番いいというような言い方をしないことです。外罰型の人は、自分は悪くなくて世間が悪いと他に責任転嫁するけれども、それが正直なのかもしれないわけです。安楽椅子型の場合、安定はしているが、あきらめてしまっているともとれます。また、外罰型の場合、周りとのトラブルは絶えないかもしれませんが、それがその人にとって、自分に忠実な生き方かもしれません。かたくなな態度は周囲の無理解からくるのかもしれません。老いへの適応の問題は周囲の人々の高齢者に対する適応の問題かもしれないのです。ライチャードは、「そうならざるを得ないその人の人生を背負って人々は老いていく」と言っています。至言だと思います。「そうならざるを得ない」ことの中には、その人の責任外で起こったことも含まれます。その意味では、「人はその人の責任外で起こったことも背負って老いていく」ともいえると思います。

その五　うつ病と認知症

人は老いることによって、四つのものを失うといわれています。①心身の健康、②経済的基盤、③つながり、④生きる目的です。

一・心身の健康

若いときには考えもしなかった心身の不調が、老いとともに表面化します。「歳をとったなあ」と実感することがいろいろと出てきます。ほぼ一〇〇%の高齢者が感じることは、脚の弱りと人の名前が出てこないということでしょう。

二. 経済的基盤

毎月きっちりと振り込まれていた給料がなくなり、年金生活になったとき、何ともいえない寂しさを感じます。定期的な収入がなくなることは覚悟していたはずなのに、いざそれが現実になったときには予想外のわびしさが心に広がるのです。

三. つながり

つながりに関しては、人によって大きな差があります。主婦（夫）であった人は、老いても人間関係には大きな変化はありません。勤め人であった人は男女問わず、退職とともに職場での人間関係や仕事上の人間関係がなくなります。これは非常に大きい変化です。私の知人で、定年退職後は人とのつながりを避け、のんびり野菜づくりをしたいと、農地を借り、一年ばかり畑仕事をした人があります。はじめのうちはよかったのですが、次第に物足りなくなり、人との接触が恋しくなりました。結局野菜づくりをやめ、高齢者介護のＮＰＯ法人を立ち上げ、とても元気になりました。彼には人とのつながりが必要であったようです。

四．生きる目的

若くて元気なときは、人それぞれ「生きる目的」を、かなりはっきりともっているのが普通だと思います。仕事をしっかりとし、結婚して家庭をつくる……というような。「生きる目的」が老いとともにはっきりしなくなります。

うつ病と認知症

うつ病と認知症は高齢者とその家族にとって困る二大疾患ですが、うつ病になりやすい人は性格的な特徴があるといわれています。真面目、責任感が強い、仕事熱心、几帳面、正義感が強い、頼まれると断れない、人との争いを嫌う、人の思惑を常に気にする等です。私は自分の精神科医としての臨床経験から、もう一つ、「順調希求」という傾向がうつ病になりやすい人の特徴としてあるのではないかと思っています。

「順調希求」というのは、自分の心身の状態がいつも順調であることを望む度合いが非常に高いということです。言い換えると、身体の調子が少し悪いと、それを受け入れにくく、それに囚われてしまう傾向のことです。

痛みやだるさ、しびれ等は特定の病気の症状としてだけではなく、「老い」に伴うものである場合が多いのですが、それらが重大な病気の症状ではないかと非常に気になります。自分に順調希求の傾向がないかどうかを検討してみることが大切です。

うつを波と捉える

老年期の「うつ」は多くの場合、一時的なもので、様子をみているうちに自然に去っていきます。中には老年期うつ病で、専門的な治療が必要な場合があります。しかし一時的な「うつ」で、特に薬物療法や専門的な精神科的治療が必要でないと判断された場合、私は、その人に次のように言います。「これはうつ病ではありません。神経の風邪引きのような状態です。うつ的な波が来ていると考えればいいと思います。波は自然に収まります。このうつ的な波も様子をみておれば、自然に収まります。その後、もう波は来ないかもしれないし、小さな波が来るかもしれません。でも、その波もしばらくすれば収まります。収まらなければ受診してください」

治りやすいうつ病、治りにくいうつ病

そうは言っても老年期のうつ病は、かなり発生頻度が高い疾患です。症状としては「うつ気分」が中心になりますが、それに加えて、不眠と食欲不振が多くみられます。外来で初診の患者さんが「うつ気分」を訴えたとき、睡眠と食欲を尋ねると、多くの場合、両方に問題があります。抗うつ剤と睡眠剤を処方し、一週間後に再診です。「いかがですか?」という問いかけにどう答えるかによって、治り方に差が出ます。「寝られるようにはなったのですが、まだ、食欲が出ません」と答える人は治りにくい人です。「まだ食欲が出ないのですが、おかげさまで夜は寝られるようになりました」と答

える人は治りやすい人です。「寝られるようになった」と「食欲が出ない」という点は二人に共通しています。しかし、前者は「食欲が出ない」というマイナス面に意識がいっています。後者は「寝られるようになった」というプラス面に意識がいっています。追突事故でむち打ち症になった二人の人の回復の仕方が事故の捉え方によって大きく違ったという例を「その三」で挙げましたが、プラス面に意識がいっているかマイナス面にいっているかで、病気の治り方が違うのです。うつ状態のときに、物事のプラス面をみることはとても難しいことです。普段から、どんな出来事にもプラス面とマイナス面があり、起こったことのプラス面をみることが大切だと思う習慣を身につけることが重要です。

増える認知症

わが国の認知症高齢者数は、二〇二五年には七〇〇万人を超えると推計され、六五歳以上の五人に一人が認知症になることが見込まれています。認知症の有病率は年齢に伴い増加するため、超高齢社会のわが国では今後も認知症高齢者数の増加が見込まれています。すなわち、誰もが認知症になり得る可能性があるわけです。

加齢による物忘れと認知症の違い

高齢になると脳の機能が衰え、誰にでも物忘れがみられるようになります。たとえば、「財布をどこに置いたか」が思い出せないことがあります。これは自然な老化現象で、認知症ではありません。歳をとると、蓄えていたことを思い出すまでに時間がかかります。しかし、財布をどこかに置いたことは覚えています。

認知症の場合は「財布をどこかに置いた」、そのこと自体を覚えられないのです。たとえば、食事をしたことを忘れて、催促したりするわけです。

認知症の場合、時（Time）・場所（Place）・人（Person）を正しく認識できなくなります。多くの場合、Time→Place→Person の順で見当識障害が出現することが多く、私はTPPの法則と呼んでいます。

認知症の予防

できれば認知症になりたくないと誰しも思いますが、認知症を予防する確実な方法はありません。しかし、認知症の研究者で予防法を提唱している人もあります。私の精神科医としての経験も加えて、「認知症予防のための一〇カ条」をまとめてみましょう。

一．くよくよ考えないこと

「言うは易く行うは難し」ですが、くよくよと考えることは老化を速め、認知症を呼び込むように思います。難しいことが起こったときに、「何とかなるさ」と思えるようにしたいものです。

二．楽しみをもつこと

楽しみの種類はともかく、「私の老後の楽しみはこれです」と言えるものをもつことです。盆栽、俳句、読書、その他やや奇抜な趣味でも、「これが楽しみ」と言えるものがあればいいですね。

三．物事のプラス面をみること

どんなことにもプラス面とマイナス面があります。常にプラス面をみる癖をつけることです。

四．役割意識をもつこと

何かの役割を担うことは、心の張りを保ちます。

五．学ぶ姿勢をもつこと

歳をとっても「学ぶ」ことは老化を遅らせます。

六．人との交わりを大切にすること

めんどうがらずに、人との交流の機会があれば積極的に参加することです。

七．「年寄り気分」を排除すること

「気分」が前向きな行動を阻止する場合があります。「年寄り気分」を意識的に吹き飛ばすことが大切です。

八．身体を動かすこと

日常生活の日課として、何らかの身体を動かすことを組み入れるといいでしょう。

九．歯を守ること

よい歯とよい脳機能の関係ははっきりと証明されています。定期的な歯科受診をお勧めします。

一〇．身体の病気に気をつけること

身体の病気の適切な管理は脳機能を守ります。

その六

老いとユーモア

ホノルル川柳

ユーモアのセンスがすばらしい九二歳のご主人と八七歳の奥様、Aさんご夫妻をご紹介したいと思います。ご夫妻はハワイ在住で日本人教会の忠実なメンバーです。移民としてハワイに渡り、多くのご苦労がありましたが、お元気で老後を迎えられました。ご紹介するエピソードは教会の牧師から聞いたものです。

牧師は時々Aさんご夫妻から食事に招待されるそうです。ある日、夕食に招待され、ステーキをご馳走になりました。いろいろな会話の中で牧師がAさんに、「長生きの秘訣は何ですか？」と尋ねたところ、Aさんの答えは「息をするのを忘れないことですよ」。みんなで大笑いしたそうです。

その日のステーキは牧師にとっては少し硬く感じられたのですが、Aさんは平気で食べておられる。確か入れ歯だったはずと牧師は思ったのですが……。「お肉は入れ歯なしで食べられるのですか」と尋ねると、「このくらいの硬さなら、歯茎で十分食べられます」とのこと。牧師が「どんなとき入れ歯をされるのですか？」と尋ねると、Aさんの答えは「それは歯を磨くときですよ」。そこで、また、大笑い。

極め付きは奥様の川柳。ホノルル川柳の会に属しておられ、会誌に載ったすばらしい川柳です。

合わぬはず爺ちゃんそれはわたしの歯

ここでまた大笑い。

大好きなお金

ナチスの強制収容所を生き抜いた精神科医のフランクル（Viktor E. Frankl、一九〇五-一九九七）は著書『夜と霧』（みすず書房、一九五六）で、「ユーモアは人間だけに与えられた、神的と言ってもいいほどの崇高な能力である」と言っています。また、ドイツのユーモアの定義は、「にもかかわらず笑うこと」と「愛と思いやりの現実的な表現」です。私はホスピスという場で約二五〇〇名の方々を看取りましたが、人間は死が近いにもかかわらず、笑うことができるということを体験しました。

Nさんは六八歳の女性、末期の肝臓がんで食欲がなく、身体の衰弱も進み、とてもつらい状態になりました。ある日の回診のとき、「いかがですか?」との私の問いかけにNさんは、「食欲がなく、にゅうめんとかお豆腐とか、あっさりしたものしか食べられません」との答え。私はすかさず、「お元気だったころは何がお好きだったのですか?」と尋ねました。Nさんの答えは「お金」。病室にいた、家族、医師、看護師は一斉に大笑い。

笑いを呼ぶ「おもしろさ」の一つの元は、「ずれ」だといわれています。私が想像していた答えは、「ステーキ」とか、「鰻丼」でした。ただ、お金という答えはおもしろかったのですが、やや「ずれすぎ」だと思いました。それが気になって、回診が終わってから、もう一度Nさんの病室に行き、「おもしろくてみんな笑ったのですが、少し、不自然な感じがしたのですが……」と言うと、Nさんは「先生、さすがですね。私、みんなで笑いたかったのです。次第に身体が弱って、家族も、受け持ちの先生も、看護師さんも、何となく元気がなくて、うつっぽくて。それで私、あんな答えをしたのです。きっとみんなで笑えると思って……」というのが答えでした。

すごい人だと思いました。どんな状態になっても人は笑いたいのだと思います。N

さんは「にもかかわらず笑う」ことができた、すばらしいユーモアのセンスの持ち主でした。

順調に弱る

Tさんは六〇歳。肺がんの末期でホスピスへ。痛みがひどかったのですが、モルヒネ錠を飲み出してから痛みはかなり楽になりました。

ある日の回診のとき、「先生、ホスピスのお仕事って大変ですね。あるお医者さんは、患者の病気が治って退院するときに、『ありがとうございました』と言ってもらえることが生きがいだとおっしゃっていましたが、ホスピスでは治って退院する人がいないでしょう。治らない患者ばかり診ておられて本当に大変だと思います」と言われました。私は「でも、Tさんのように痛みがとれて喜んでくださるときはとても嬉しいですよ」と答えました。

そのTさんの衰弱が進み、残り時間がそれほど長くないと思われた日の回診のとき、「いかがですか?」との私の問いに、Tさんは「おかげさまで順調に弱っていますと答えました。私はそれを聞いて、Tさんにいたわられたと感じました。そして、これはまさに「愛と思いやりの現実的な表現」だと思いました。

川柳様々

ユーモアには老いを吹き飛ばす力があると思います。全国有料老人ホーム協会が選んだ「シルバー川柳」の入選作は、自分の老いを嘆くのではなく、ユーモアで乗り越えようという前向きの姿勢が感じられます。たとえば、

誕生日ローソク吹いて立ちくらみ

などは、カラッとしたユーモアが感じられます。「シルバー川柳」のように老いをユーモアでくるんだものには秀作が多く、

ときめきと信じていたが不整脈

というのも同じ傾向の作品です。脚の弱りを嘆くのではなく、川柳にして笑い飛ばすという姿勢がすばらしいと思います。たとえば、

ついにきた畳のヘリにつまずいた

などは自然な共感を生みますね。ちょっと悲しいのは、

つまずいた足元見るが何もない

フランクルはユーモアがもつ「自己距離化」という概念について、「一見絶望的で逃れる途が見えないような状況においても、ユーモアはその事態と自分との間に距離をおかせる働きをする。ユーモアによって、自分自身や自分の人生を異なった視点から観察できる柔軟性や客観性が生まれる」と言っています。

大腸がんの手術の前に急に不安になった患者さんが川柳をつくり、看護師を通して、主治医にその川柳を渡しました。

お守りを医者にもつけたい手術前

それを見た主治医がすぐに来てくれて、「不安な気持ちはよくわかりました。お守り、私もつけますから安心してください」と言ったそうです。

川柳は今ちょっとしたブームで、前述の「シルバー川柳」や「サラリーマン川柳」等、よく知られているものから、「毛髪川柳」とか、「遺言川柳」といったユニークな川柳分野もあります。

顔洗うどこまで額かわからない
墓石は軽くしてくれ肩が凝る

等はその好例です。

医療従事者にとって、患者さんのユーモアのセンスによって笑わせてもらえるのはありがたいことです。ユーモアは世界共通の言語だと思います。

『ユーモアを生きる―困難な状況に立ち向かう最高の処方箋』（三輪書店、二〇一九）でもご紹介しましたが、ホスピスの国際学会での経験をお話しします。数年前のカナダのモントリオールでの学会で、アイルランドの女性医師の発表に感動しました。自宅でこの方の訪問診療を受けていた八七歳の肝臓がんの女性患者の話です。ある日の往診のとき、患者さんが「あと数日であの世の感じです」と言ったそうです。医師は「数日で天国へ……そんな感じなのですか？」と尋ねました。答えは「天国でも地獄でも、どちらでもいいのです。きっとどちらにも友だちがたくさんいると思います」。そして二人で笑ったそうです。医師は患者さんのユーモアに慰められたと言いました。

その七

老いの生き方

さて、ここからは老いを社会の側面からみていきましょう。「その一」で二〇一八年（平成三〇年）の日本人の平均寿命に触れましたが、近年、日本人の平均寿命は延び続けています。二〇一五年（平成二七年）には「第一次ベビーブーム世代」が前期高齢者に到達し、その一〇年後（二〇二五年）には高齢者人口が約三七〇〇万人に達すると推測されています。これまでの高齢化の問題は、高齢化の進展の「速さ」の問題で

したが、二〇一五年以降は、高齢化率の「高さ」(=高齢者の多さ)が問題となっています。

私たちの寿命は延び続け、今では〝人生九〇年〟に手が届こうとしています。しかし一方で、自立した生活を送れる期間「健康寿命」が、平均寿命より男性は約一〇年、女性は約一三年も短いことがわかりました。これは支援や介護を必要とする等、健康上の問題で日常生活に制限のある期間が平均で一〇~一三年もあるということです。長い人生、いつまでも元気に過ごすためには「健康寿命」を延ばすことが必要なのです。

二〇一〇年(平成二二年)と二〇二〇年(令和二年)を比較すると、「六〇~六四歳」で働いている人が、ぐんと増えています。また、「六五~六九歳」と「七〇~七四歳」でも、はっきりとした差があります。二〇二〇年現在では、「六〇~六四歳」では約七割の人が、「六五~六九歳」では五割近くの人が働いています。また男性の約六割は、六〇代後半になっても働き続けているのです。

しかし、あるところまで健康寿命が延びて、働き続けることができても、それが難しくなる老いが確実にやってきます。老いをどのように迎え、どのように日々を過ごすかは、これからの日本人にとって、とても大切になります。

長寿国日本に住んでいる私たちは「生きてしまう」のです。この辺りでお終いにしたいと思っても、その気持ちにかかわらず、生きてしまうのです。それなら「老いをどう生きるか」を真剣に考えてみることが大切なのではないでしょうか。「老いの生き方」というのは実にさまざまです。「よい生き方」、「よくない生き方」があるのではなく、それぞれの高齢者は、それまでの生き方の上に「老い」を積んで「老い」を生きていくのです。したがって、その人の「老い」の様相は、それまでの人生に影響を受けるのは当然です。しかし、「これまでの人生はともかくとして、このような老いを生きたい」と願う人もあるでしょう。日野原重明先生が講演で言われた言葉ですが、「いのちとは、今、あなたがもって使っている『時間』のことです。いのちをもっているということは、使える時間が与えられているということです。自分が使うことができる時間こそがいのちであり、それを何にどう使うかということが生きていくということです。時間の使い方は、そのままいのちの使い方になります」。

老いの生き方というのは、具体的には、どんな時間の使い方をするのかということなのではないでしょうか。私がよく知っている方々がどんなことに時間を使っているのか、それを通して、高齢者の生き方を考えてみたいと思います。

〈病院のボランティア〉：キャリアを活かす

Nさんは七五歳の元看護師。勤めていた病院の玄関で「案内係」なる机の前に座り、患者、家族の案内係を務めます。四〇年間、病院に勤めたので、病院の隅々まで知り尽くしています。場所だけではなく各部署の仕事の内容もわかっているので、どんな質問にも答えられます。「〈人の役に立っている〉という感覚が私を支えています」と彼女は言いました。もう一つ、彼女は「自分のこれまでの経験を活かせることが嬉しい」とも言いました。

〈ホスピスのボランティア〉：働きに賛同する

英国のホスピスに行ったとき、ボランティアの多さにびっくりしました。六二床のホスピスに一六〇名のボランティアが働いていました。ごく少数の若い人もいましたが、ほとんどはかなりの年配者でした。仕事の内容も実にさまざまです。調理場や図書室で働く人、花や植物の世話をする人、車の運転、患者さんと散歩、ベッドメイキング等々……実に多様です。いわゆる「元気な高齢者」が溌剌とボランティアとして働いている様子を見て、まばゆい感じがしました。ホスピスのボランティアに面談したとき、「ホスピスの働きに感動し、ホスピスのために、役立ちたいと思った」という答えが多かったのには感動しました。

〈水彩画と写真〉：趣味に生きる

老後、趣味に打ち込んでいる二人の知人をご紹介します。二人とも八〇歳過ぎです。一人は若いときから絵を描くのが好きで、高校では美術部に入り、油絵を描いていたそうです。大学を卒業し、長く会社員生活をしましたが、多忙で絵を描く時間がありませんでした。定年で退職してから、絵画教室で水彩画を習い出し、時々すばらしい絵を送ってくれます。先日、個展の案内が届きました。

もう一人は定年退職後、写真に凝り出し、彼も写真教室に通い、かなりしっかりと写真の勉強をしました。教室に通っている仲間と一緒に時々撮影会に行くのが楽しみだと言います。定期的に撮った写真を送ってくれますが、次第に腕を上げているようです。その彼からも個展の案内が来ました。二人共、趣味を中心にして、充実した老後を過ごしているようです。

〈シニア自然大学校〉：人間活動の企画

自然が好きな人たち、歴史や文化に興味がある人たちが楽しく学びながら、気の合う仲間と生きがいをもって各地で活動しています。シニア自然大学校は、そんな人々が集まったNPO法人です。自然、歴史、文化をキーワードに多くの活動をしています。私の先輩にこのシニア自然大学校の活動を企画している人がいます。工学部出身の彼は、多くの職場のように対人関係に悩むことなく、「物中心」の仕事をしてきました。老後の過ごし方を考えたとき、人間活動の企画に関心が向いたと言います。彼は仲間と共に講演会企画の責任者をしています。仲間と一緒に講演の内容と演者について話し合うのがとても楽しく、やりがいを感じるそうです。彼の要請で「老いを生きる」という講演をしましたが、打ち合わせに集まった五人ばかりの高齢者の元気さがとても印象的でした。

〈お城巡り〉：趣味と挑戦

遠い親戚にあたる八七歳の男性がいます。彼も工学部の出身で、長年鉄鋼会社に勤めました。定年間近になって、ふとしたきっかけで城に興味をもつようになり、休みを利用して「お城巡り」をするようになりました。定年を迎えてから、「日本一〇〇名城」というのがあり、そこを訪れてスタンプを集めることを趣味にしている人がいることを知りました。「名城巡り」が定年後の彼の趣味になりました。足腰が弱り、名城巡りはやや難しくなりかけていますが、九七城までできているので、何とか全登城を達成したいと思っているそうです。彼にとって、一〇〇名城を訪れることは、趣味と挑戦なのだと思います。

〈日本語教師〉：関心を広げる

七六歳の女性。大学は社会福祉学部を卒業した後、ST（言語聴覚士）となり、長年働いてきました。そんな彼女は定年退職後、日本語教師の資格をとり、現在は数人の留学生に日本語を教えています。学生時代から言葉に対する関心が高く、STになったのもそれが理由でした。老後の生活を考えたとき、何か言葉に関係することがしたいという思いがあり、日本語教師の資格をとったそうです。

〈〝農園〟で働く〉：成長期の経験が生きる

親しくしている八六歳の男性。一日中、自宅に隣接している自称〝農園〟で働いています。その割には、農園はあまり手入れが行き届いているとはいえず、ややワイルドな感じ。しかし、トマト、きゅうり、ナス、冬瓜、じゃがいも、えんどう、南瓜、大葉、ニラ、玉ねぎ等が、かなりうまく育ち、確実に収穫されます。時々いただくので重宝しています。

お話によると、成長期に終戦を迎え、食べものが乏しかったことから、父親と一緒にいろいろなものをつくった経験が生きていると思うとのことでした。

老いの生き方は実にさまざまです。良い悪いではなく、そこに「その人らしさ」が実現しているかどうかが、老いの生き方の「質」を決めるのではないでしょうか。

その八

自分の老いを生きる Ⅰ

「老いをどう生きるか」は、それまでにどう生きてきたかに関係します。それまでの生き方の延長のような老いを生きる人と、それまでとはかなり違った老いを生きる人がありますが、どちらもそれまでの生き方を土台にしている点では、老い方は老いるまでの生活の影響を受けます。現在八二歳の老いを日々生きている私自身をみてみても、これまでの人生が私の老いの生き方に色濃く関係していると思います。やや自己

分析的になりますが、自分の人生と自分の老い方とがどう関係しているかを考えてみたいと思います。

私の半生

私は三歳のときに父を失いました。結核でした。母は私を育てるために看護師の道を選びました。幼いころは母一人子一人の家庭で随分寂しい想いをしました。小学生のころは、学校が終わると母が勤めていた病院内の広場で野球をして過ごしました。白衣の医師やクレゾールのにおいは私の日常生活の中にありました。

ごく自然に将来は医師になろうという思いが湧いてきました。小学校五年生のころでした。高校卒業後、一浪して医学部に入り、精神科医になりました。人間のこころに関心があったからです。学生時代に教会に通い出し、洗礼を受け、一九六六年（昭和四一年）に結婚しました。

大学病院の精神科で三年間、臨床と研究をし、その後三年間、ワシントン大学（米国セントルイス）に留学しました。そこで、末期患者へのチームアプローチを経験しました。

帰国後、淀川キリスト教病院で精神科医として働き、ホスピスケアのプログラムをスタートし、内科の研修の後、一九八四年（昭和五九年）にホスピス病棟を立ち上げました。ホスピスでは約二五〇〇名の患者さんを看取りました。

その後一〇年間、大阪大学で「老いと死」を教え、続いて八年間、私立の大学の学長をし、五年間淀川キリスト教病院の理事長をし、二〇一八年（平成三〇年）、八〇歳で任期を終えました。現在、公の仕事としては、ホスピス財団の理事長と、関係してきたいくつかの学会の顧問と監事を務めています。

これまでの私の人生の流れを駆け足でまとめました。もう少し詳しく自叙伝的にまとめた本『恵みの軌跡―精神科医・ホスピス医としての歩みを振り返って』（いのちのことば社、二〇一七）がありますので、関心がおありの方はお読みください。

私は今、老いを育みつつ、老いを生きています。私がどんなことを考えながら、どんな老いを生きているかを書くことによって、今、老いの真っただ中にいる方々、これから老いを迎えようとしておられる方々の何らかの参考になることを願っています。

私の老いの歩みはそれまでの歩みの延長上にあります。淀川キリスト教病院の理事長という重責からは解放され、肩の荷は軽くなり、多くの会議に出なくてもよくなりました。日常生活において、やや時間的余裕ができたといえると思います。この一年を振り返ってみますと、「執筆と講演」の一年だったと思います。そうしようと意図的に決めたのではなくて、ごく自然にそうなったという感じです。あと何年生きるかわかりませんが、私の「老い」の中心は執筆と講演になりそうです。

執筆

私が初めて本を出版したのは一九七五年（昭和五〇年）、今から四六年前、三六歳のときでした。書名は『病める心へのアプローチ』（いのちのことば社）。「宣教の集い」

というキリスト教の団体の主催で、「心の病い」について行った五回の講演の録音を文字に起こしたものを中心にまとめたものです。一〇八ページの薄く、小さな本ですが、書店から届いたときには、とても嬉しかったことを鮮明に覚えています（**図**）。

　そのとき、この喜びを年に一度味わえたらいいなと思いました。そこで私は実に無謀な決断をしました。毎年本を出版するという決断です。二〇二〇年（令和二年）は決断から四五年目になります。二〇二〇年二月に四六冊目を出版しました。毎年本を出版するという自分との約束を何とか守ることができました。四五年間に四五冊ということですが、必ず一年一冊の出版というわけではなく、二年間に三冊とか、三年間に二冊という場合もあります。

　四五冊の本を書いたというと多くの方は「へえーすごいですね」と言って驚かれます。そんなとき、私は照れ隠し（？）に「ごまかし出版が多いのです」と言います。

　四五冊のうち、純粋な書き下ろしは数冊です。多忙な臨

図　『病める心へのアプローチ』書影

床と教育をしながら四五冊の本を書き下ろすことなど不可能です。数回の講演をまとめて本にしたものがかなりあります。雑誌に一年間連載したものをまとめる、新聞の連載をまとめる場合もありました。印象に残っている著書について書いてみます。

・**『死にゆく人々のケア―末期患者へのチームアプローチ』**医学書院、一九七八
日本で初めてのホスピスプログラムでのケアの実際をまとめたもので、ケアという言葉が初めて本の題名になった。古い本だが教科書的なものとして今も読み続けられている。

・**『生と死を支える―ホスピス・ケアの実践』**朝日新聞社、一九八三
朝日新聞に一年間連載したものをまとめたもの。一九八七年、朝日選書３４１となる。一〇版以上を重ねた。

・**『愛する人の死を看取るとき―ホスピス・ケア20年の記録』**PHP研究所、一九九五
本書は二〇〇三年に『あなたともっと話したかった―日本のホスピス生みの親・20年の実践』と改題して日本経済新聞出版が文庫化した。

・**『人生の実力―2500人の死をみとってわかったこと』**幻冬舎、二〇〇六
大学の学長をしていたとき、執筆の依頼があった。かなり多忙な生活をしていたので躊躇したが、幻冬舎からの依頼とのことで引き受けた。話し合いの結果、ホテルに一泊して、二日かけて、午前二時間、午後二時間、合計八時間、担当者に語りかけ、それをまとめて一冊の本にするということになった。初めての経験であったが、こんな本のつくり方もあることを学んだ。

この本は二〇一五年に『人はなぜ、人生の素晴らしさに気づかないのか?』という題で文庫化され、KADOKAWA/中経出版の文庫の一冊として出版された。

・**『ホスピスのこころを語る―音楽が拓くスピリチュアルケア』**一麦出版社、二〇〇六
音楽療法の専門家である栗林文雄先生との対談をまとめた本。

・**『「死にざま」こそ人生―「ありがとう」と言って逝くための10のヒント』**朝日新聞出版、二〇一一
前掲の朝日選書（一九八七）の姉妹編とのことで執筆依頼を受け、いつものように『緩和ケア』（青海社）という専門誌に連載したものを中心にして、書物としてまとめた。

自分の著書のリストを眺めながら思ったことは、私の関心の中心は「人間理解」であったということです。医学部に入学し、医学の勉強を始めましたが、「病気」への関心よりも「病人」への関心のほうが強かったと思います。精神科を選んだのも、身体を診るよりこころを診るほうが「性に合っている」と思ったからかもしれません。
留学をきっかけにホスピスケアに魅了されました。人間をトータルに診るという姿

勢に感動しました。人間をしっかりと理解しなければホスピスケアはできません。これまでに歩んできた私なりの「人間理解」を、執筆と講演を通して人々に伝えるのが私自身の老いを生きることになるのだろうと思っています。

その九

自分の老いを生きる Ⅱ

「その八」で、執筆と講演を通して私なりの「人間理解」を人々に伝えるのが私自身の老いを生きることになる……と書きました。「その八」では〈執筆〉について書きましたので、この章では〈講演〉について記します。

私が講演の依頼を受け出したのは、留学先の米国から帰国して、淀川キリスト教病院で働き出してからでした。留学中に経験した末期患者へのチームアプローチ等を請われるままに講演しました。このチームアプローチはホスピスケアにつながるのですが、当時の日本の医学界では実に新しい分野でした。患者さんの治療にチームで取り組む、しかも、末期患者にチームアプローチをすることは、まったく新しいことでした。私はこの新しい取り組みをOCDP(Organized Care of Dying Patient)——死にゆく患者への組織的ケア——と名づけました。日本で初めてのホスピスケアのスタートでした。

講演

淀川キリスト教病院に日本で二番目のホスピス病棟ができたのは一九八四年(昭和五九年)でした(日本初のホスピス病棟は一九八一年の聖隷三方原病院)。このころからホスピスに対する関心が医学、看護の分野で高まり、講演の依頼が多くなりました。たとえば、一九八四年には、日本精神神経学会学術総会で「臨死患者の心理的援助」

という題で講演をしました。同年、日本看護研究学会で「これからの生命観と看護」なる講演を依頼されました。

医学、看護の領域からの講演依頼が多かったのですが、薬剤師、ソーシャルワーカー、OT（作業療法士）、音楽療法士等の学会からの依頼も少なくありませんでした。キリスト教会からの講演依頼も少しずつ増えてきました。人の生と死について、看取りの現場から学びたいとの希望でした。学校からの依頼もかなりありました。ほとんどが高校生を対象にした講演ですが、「死の教育」の一環として、人間の「生と死」についての経験を話しました。最近多くなっているのは、自治体が地域住民のために開いている「講座」の講師を依頼されることです。「死を背負って生きる」や「安らかな最期を迎えるために」の題で話をします。

講演ではなく、授業ですが、年に数回、大学の医学部で「末期患者のケア」、薬学部で「痛みのコントロール」についての講義をします。ここ一〇年ほどは平均して、年五〇回程度の講演をしてきました。毎週一度は講演をしたことになります。最近のコロナ禍にあっては、オンラインでの講演も増えました。

言語化するということ

高齢者の大切な役割の一つは「言語化すること」だと思います。世の中で起こったこと、起こっていること、起こるかもしれないことを、言葉にして表現することです。「言葉にする」ためには長い経験と洞察が必要です。経験が長くても洞察力がなければ、「言語化」は難しいと思います。

「言語化」のはっきりしたかたちは、書くことと、話すことです。執筆と講演ではかたちは違いますが、両方とも「言語化すること」なのです。四六冊の本の出版と年五〇回の講演をこなした私は、かなりの言語化をしてきたということになります。

講演の後で、主催者から聴衆の感想をアンケートというかたちで送っていただくことがあります。その中に、講演の中で印象に残った言葉を書いてくださる方がありま す。私の「言語化」が人のこころに届いたという、嬉しい体験です。

私たちは死を背負って生きているのです

私はこれまでにホスピスという場で約二五〇〇名のがん患者さんを看取りました。その経験から感じることは、「人間は死を背負って生きている」ということです。「定年後、夫婦揃ってゆっくりと温泉へでも行きたいと思っていた矢先に夫ががんで倒れました」と、ある中年のご婦人が言われました。また、「子どもたちが皆独立して、夫婦揃ってゆっくりと温泉へでも行きたいと思っていた矢先に妻ががんで倒れました」と、ある中年の男性が言われました。私はこれらの現象に「矢先症候群」という名前をつけました。生の延長上に死があると思っていたのに、実は死を背負って生きていたことがわかるわけです。

生と死は一枚の紙のようなものだと思います。生が紙の表だとすると、紙の裏には死が裏打ちされているのです。風によって紙が簡単に裏返るように、死が簡単にやってくることがあります。震災や交通事故によって、多数の人が予期しない死を迎えることもあります。

人は生きてきたように死んでいく

「人は生きてきたように死んでいく」。ホスピスで、約二五〇〇名の患者さんを看取った印象です。しっかり生きてきた人はしっかりと亡くなります。ベタベタと生きてきた人はベタベタと亡くなります。周りに感謝して生きてきた人は私たちスタッフに感謝して亡くなります。生き様が見事に死に様に反映します。よき死を死すためには、よき生を生きる必要があるようです。

散らす人生を生きる

人生は「集める人生」と「散らす人生」に分かれるように思います。集める人生とは、お金、物、アイデア、知識等を集めることが中心になる人生です。散らす人生とは、お金、知識、経験、能力、時間等を周りの人々に散らす人生です。

私の臨床経験からすると、散らす人生を生きてきた人のほうが、平安な最期を迎えられるように思います。散らすものの中で最も大切なのは時間だと思います。人生は時間の集積ですから、時間を自分のために使うか、人のために使うかによって、その人の人生の色合いが決まります。自分のために時間を使う人は集める人生を送り、他の人のために時間を使う人は散らす人生を送ることになります。

「その七」でもご紹介しましたが、日野原重明先生が聖路加国際メディカルセンターの理事長をされていたとき、ある講演会で次のように話されました。「いのちとは、今、あなたがもって使っている『時間』のことです。いのちをもっているということは、使える時間が与えられているということです。自分が使うことができる時間こそがいのちであり、それを何にどう使うかということが生きていくということです。時間の使い方は、そのままいのちの使い方になります」

最後の跳躍

エリザベス・キューブラー・ロス（Elisabeth Kübler-Ross、一九二六-二〇〇四。米国の精神科医で末期ケアの大家）が『Death』（死）という本を書いています。副題は「The final stage of growth」（成長の最後の段階）です。キューブラー・ロスは多くの末期患者とのかかわりの中で、人間は最後の最後まで人間として成長することができると言っています。私もホスピス医として多くの患者さんを看取った経験から、この言葉に賛成です。それでは、最後の段階での成長の中身はどういうものでしょうか。私は、それは「感謝と受容」であると思っています。

これまで周りの人にあまり感謝の言葉を言わなかった人が、家族やホスピスのスタッフに感謝するようになります。自分にとって不都合なことが起こったときに、それをなかなか受容できなかった人が、死という最も受け入れがたいものを受容していかれます。そうした姿を見るとき、人間は最後まで成長する存在なのだと思うのです。

ニュージーランドのホスピスを訪れたとき、「自分史療法」というとてもユニークな試みを知りました。元雑誌記者のボランティアの女性が、患者さんにインタビューをして、その人の人生を一冊の本にまとめるというものです。人生を振り返るとき、自分がどれほど多くの人の世話になってきたかを知り、感謝の気持ちが出てくるというのです。

「内観療法」という精神療法があります。身近な人々(母、父、配偶者等)にしてもらったこと、してあげたことについて、具体的な事実を過去から現在まで調べる記憶回想法の一つです。末期の患者さんはベッドの上で自分の人生を振り返り、自分で自然に内観療法をしているのではないかと思います。そして、自分がしてもらったことのほうが、してあげたことよりもずっと多かったことに気づき、周囲に対する感謝の念が湧いてくるのでしょう。

人生の総決算の場で、人間としてすばらしい成長を遂げる人を見ると、人は死ぬ直前まで成長する力をもっているとあらためて思います。私はこのような成長を「最後の跳躍」と呼んでいます。

その一〇

魂の痛み

トータルペイン―全人的痛み

「その一」で述べた老いの四つの側面の最後、魂についてみていきたいと思います。

世界のホスピスの母といわれているシシリー・ソンダース博士（Cicely Saunders、

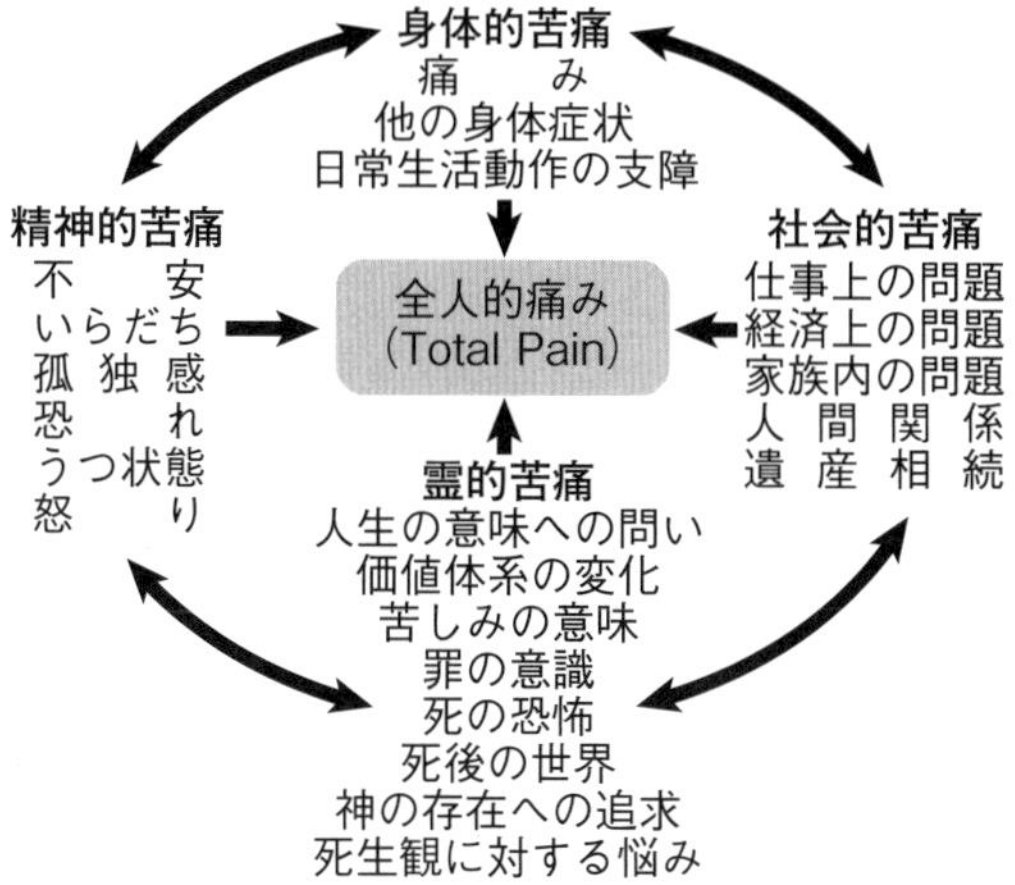

図1　全人的痛みの理解

一九一八－二〇〇五）は末期患者の痛みを〝Total Pain〟（トータルペイン、全人的痛み）として説明しました（**図1**）。末期患者は身体的苦痛だけではなく、不安やいらだち等の精神的苦痛、仕事上の問題や経済上の問題等の社会的苦痛、それに人生の意味への問いや、価値体系の変化等の霊的苦痛を経験します。英語でいえば、physical, mental, social, spiritual となります。

人間の存在様式

この〝トータルペイン〟という考え方は、「人間とは」という根源的な問題と密接に

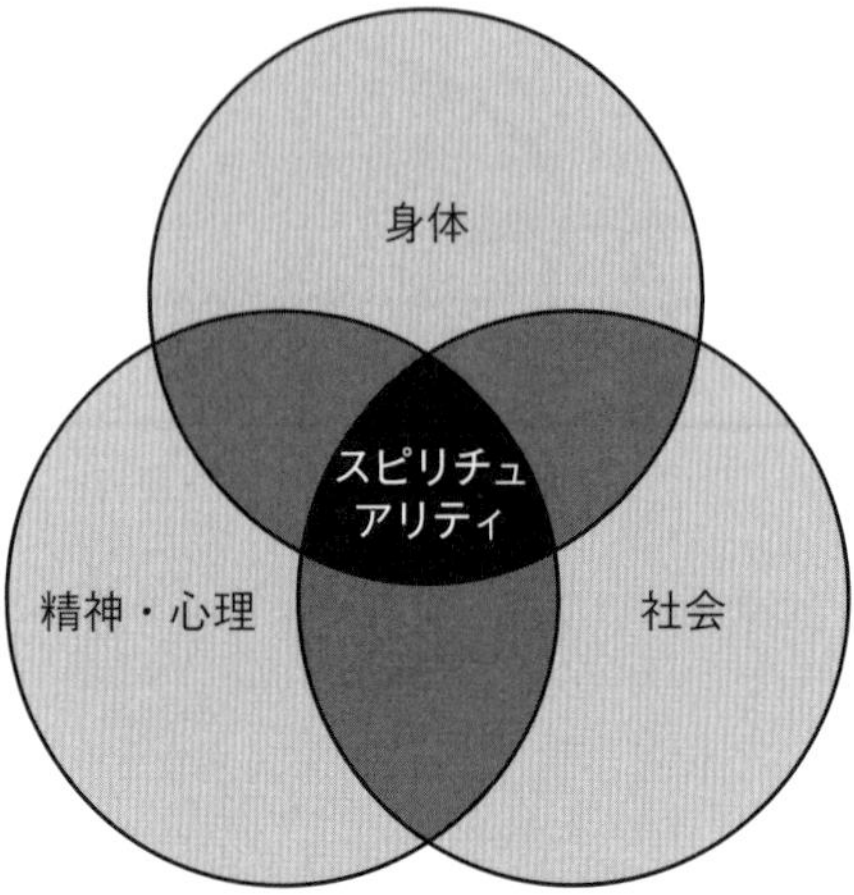

図2　人間の存在様式

関係します。この重要な問題について詳しく述べる紙数はありませんが、先人の洞察と私自身の臨床経験から、人間は**図2**のような存在様式をもっていると私は考えています。人間は身体的存在であり、精神・心理的存在であり、社会的存在であり、スピリチュアリティ（霊性、魂）をもった存在です。この四つの存在様式が互いに関係し合い、人は生きています。この中でわかりにくいのがスピリチュアリティです。私はこれを「たましい、魂」と呼ぶのがいいのではないかと思っています。人間は身体、精神、社会性、魂をもつ存在なのです。

老いと四つの痛み

ソンダースがいう四つの痛みは、末期患者だけではなく、高齢者にも当てはまるのではないでしょうか。老いに伴う身体的な側面、精神的な側面、そして社会的な側面について、これまで書いてきました。今回は老いと関連する霊的な（spiritual）側面について考えてみたいと思います。魂の問題と言ってもいいかもしれません。

Spiritual Pain（スピリチュアルペイン、魂の痛み）は、末期がんの患者さんでも、高齢者でも、程度の差はあっても経験するものだと思います。ただ、それを口に出して言うかどうかは人によります。私がホスピスという場で経験したスピリチュアルペインの例を記してみます。みんな、がん末期の患者さんで、高齢者が多いですが、中年の人も、時には青年もいます。

生きる意味への問い

・こんなになって、生きていてもしょうがない
・私の人生はいったい何だったのだろうか
・こんな重い病気になって、何を支えに生きていけばいいのか

苦難に対する問い

・私だけがなぜこんなに苦しまなければならないのか

希望がない

・どうせ死ぬんだから、頑張ってもしかたがない
・身辺整理も済んだし、何もすることがない

孤独感

・こんな私を誰も助けてくれない

罪責感

・私が悪いことをしたから、こんな病気になったのか

家族に迷惑をかける

・こんなに迷惑をかけるなら、早く死にたい

死後の問題

・死んだら私はどうなるのか。無になるのか

スピリチュアルペインに関する質問の特徴は、「答えがない」ということだと思います。「私の人生は何だったのか」との問いかけに答えはありません。「ご自分では何だったと思われますか?」と問い返すのがいいかもしれません。「私が大事にしてきた価値観は間違っていたのでしょうか」との問いかけにも答えはありません。「間違っていたかもしれないと思っておられるのですか」と返すのがいいかもしれません。

高齢者と、がん末期の患者さんとの共通点は、「死を意識せざるを得ない」ということでしょう。ホスピスに入院している患者さんのほうが、はっきりと死を意識しておられると感じます。「死んだらどうなるのか」という問いかけが切実になります。

スピリチュアルペインの例

スピリチュアルペイン、魂の痛みは、老いと深い関係があります。若くて元気なときは、あまり魂の痛みは経験しません。しかし、若くても、がんのように命にかかわるような状況になると、魂の痛みを経験します。

一人の非常に印象的な患者さんのお話をします。二五歳の青年が、睾丸の悪性腫瘍が全身に転移して、非常に痛んでつらい状況で入院してきました。モルヒネを投与して、痛みはだんだんとれてきたのですが、次第に弱ってきて口数が少なくなり、少しうつ状態になりました。ある日の回診のとき、いつもと様子が違って全体にやや緊張感が漂っていました。

診察が終わって椅子に座った途端に、じっと私の顔を見ながら、「先生、僕はまだ二五歳です。なぜ、こんなに若くして死ななくてはならないのですか」と、絞り出すように訴えました。自分でなぜそんな言葉を出したのかわからないのですが、その言葉を聞いて私は、「二五歳って若いよな」と言いました。その途端に、込み上げてきて、不覚にもポロッと一粒涙が出ました。

その場にいられなくなって、「また来るから」と言って逃げるように病室を出ました。次の日に病室へ行くと、彼が割にケロッとしているのです。そして一言、「先生、昨日はありがとう。先生、泣いてくれたよな。僕、嬉しかった」と言ってくれました。スピリチュアルケアの一例です。

老いとスピリチュアルペイン

図1は末期患者が経験する全人的痛みですが、これは高齢者にも当てはまります。特に「霊的苦痛」は、大なり小なり高齢者も経験する痛みです。順に簡単な説明をつけてみます。

人生の意味への問い

・自分の人生にはどんな意味があったのか

価値体系の変化

・これまで価値があると思っていたことが無価値に思えることがある

苦しみの意味

・この苦しみにはどんな意味があるのか

罪の意識

・罪深いことをしてきたのではないか

死の恐怖

・死ぬことが怖い

死後の世界

・死んだらどうなるのか

神の存在への追求

・神は存在するのか

死生観に対する悩み

・死をどう考えたらいいのかわからない

このような高齢者のスピリチュアルペインに対して、周りの者は何ができるでしょうか。まず第一にするべきことは、自分の考えや意見を述べることではなく、理解的な態度をもって、しっかりと耳を傾けることだと思います。

その一一

老いと死

老いと死

老いと死は、できれば考えたくないテーマなのかもしれません。老いは避けることができます。老いる前に死ねば、老いは避けられます。しかし、死は絶対に避けることができません。医師で小説家のサマセット・モーム（William Somerset Maugham、一八七四-一九六五）が残した言葉に、「世の中には多くの統計があり、時には統計のまやかしや間違いも存在する。しかし、絶対に間違いがない統計がある。それは〈人間の死亡率は一〇〇％である〉という統計である」というのがあります。この世に生を受けた者は誰一人の例外もなく死を迎えます。老いを避けることはできますが、死を避けることはできません。

老人とは

元京都大学総長の岡本道雄先生（一九一三-二〇一二）は長年の臨床医としての経験から、「老人とは、老いを身近に感じていると同時に、死を身近に感じている人たちである」という言葉を残しておられます。哲学者 堀 秀彦氏（一九〇二-一九八七）の言葉も印象的です。「七〇代までは、年ごとに私は死に近づいていきつつあると思っていた。だから、死ぬのも生き続けるのも私自身の選択できる事柄のように思われた。ところが八二歳のいま、死は私の向こう側から一歩一歩、有無を言わせず、私にせまってきつつあるように思われる。私が毎年毎日死に近づいていくのではない。死が私に近づいてくるのだ」（『死の川のほとりにて』作品社、一九八七）。私自身、八二歳の今、死に近づいていきつつあるという感覚はありますが、死が私に近づいてくるという感覚はありません。比較的元気にしているからかもしれません。

死を背負って生きる

私はホスピスという場で約二五〇〇名の患者さんの看取りを経験しました。とても貴重な経験でした。高齢で死を迎える人もあれば、中年での死もあります。私が現役のホスピス医として働いていたときの患者さんの平均年齢は六三歳でした。ふつう「生きる」ということが続いて、その延長上に死があると考えますが、現実はそうではなく、死が突然訪れることもあります。事故死や災害死がその例です。そういう意味では、生の延長上に死があるのではなく、人間は日々死を背負って生きているのではないでしょうか。

「死を背負って生きる」ということに関して、個人的な体験をお話しします。初孫が生まれたときの体験です。家内と二人で孫娘に会いに行きました。新生児室に二〇人ばかりの赤ちゃんがいました。みんなかわいいのですが、私たちの孫娘が一番かわいかったです。面会を終えて帰るときに、私の頭にとてつもない想いが浮かびました。「ここにいる赤ちゃんはみんな死ぬんだなぁ」という想いです。私はドキッとしました。生まれたての赤ちゃんを見て、「この赤ちゃんはみんな死ぬんだなぁ」なんて想う人が世の中にいるでしょうか。当時、ホスピスでの仕事が忙しく、ほぼ毎日看取りをしていました。死が私の日常生活の一部になっていました。しかし、この想いは自分ながらやや意外でした。

表裏一体という言葉があります。「その九」でも述べましたが、生と死はまさに表裏一体の関係にあるのではないでしょうか。生が紙の表だとすると、紙の裏には死が裏打ちされているのです。災害や交通事故によって紙の表であった生が、裏の死に一瞬のうちに変わることがあるのです。

よき死とは

多くの看取りを体験して、もう一つ考えたことは「よき死」とはどんな死なのかということです。

一・苦しくない死

「よき死」の第一は苦しくない死でしょう。多くの人は「人は必ず死ぬので、それはしかたがないけれど、苦しんでだけは死にたくない」と思います。ホスピスへ入院してくる患者さんの多くは、特にお年寄りは「死ぬことは覚悟していますが、苦しんで死ぬことは避けたいので、よろしくお願いします」と言われます。がん末期の三大苦というものがあります。痛み、全身倦怠感、食欲不振です。末期がんの患者さんは、痛み、息切れ、全身倦怠感、食欲不振、吐き気、しびれ等、多くの不快な症状に悩まされます。これらの症状を適切にコントロールすることは、ホスピスの働きの中でとても大切です。痛みに関しては多くの研究の結果、現在の日本では、耐えられないような痛みは経験しなくてもよくなりました。全身倦怠感と食欲不振もかなり改善できるようになりました。

二．交わりのある死

この世からの旅立ちは一人での旅立ちです。しかし、旅立ちまでは誰かがそばにいることが大切です。マザー・テレサ（Mother Teresa、一九一〇-一九九七）が初めてコルカタ（旧カルカッタ）に行ったとき、道端で誰にも看取られないで死を迎える人々を見て、「死を待つ人々の家」を建てました。そこで身体をきれいに清拭し、新しい寝巻きを着せ、誰かがそばにいて、話を聴き、話しかけ、手を握る等、コミュニケーションをとります。人は誰かがそばにいてくれると安心するのです。

ホスピスでも時々、身寄りがない人が入院します。知り合いや友人もなく、訪問者がいない場合があります。患者さんに交わりを提供できるのはスタッフだけです。みんながチームを組んでベッドサイドに行くのですが、家族や友人、知人との交わりがとても大切だと実感します。

三．平安な死

苦しくない死は、身体的なことです。交わりのある死は安心に通じ、精神的なことです。「よき死」にはもう一つ平安な死があり、これは霊的なこと、魂の平安のことです。安心は横から来ます。誰かがそばにいるから安心というのは、方向からいえば、横からです。それに対して平安は上からです。方向でいえば縦です。

何に平安を覚えるのかは、神、仏、超自然的な力……等、人によって違うでしょうが、平安は上から「魂」に来ます。安心は横から「こころ」に来ます。多くの看取りの経験から、私が望むのは、身体には痛みがなく、精神的には安心で、魂には平安がある死を死すことです。

安全、安心、平安

安全は身体的、安心は精神的、平安は霊的な要素とつながります。苦しくない死は身体的安全に、交わりのある死は精神的安心に、平安な死は霊的平安につながります。

ここで、安心と平安の違いについて、まとめてみたいと思います。安心は横から、こころに来ます。お金があるから安心、いい家族があるから安心、友人がいるから安心、地位と名誉があるから安心……等です。しかし、お金は使えばなくなります。家族は先に死ぬかもしれません。友人は裏切るかもしれません。地位や名誉は一日でなくなります。横からこころに来るものは頼りにならないのです。

平安は上から、魂に来ます。私たちは元気なときは社会的な役割という衣を着けて生きています。社長という衣、教師という衣、医師という衣などです。末期になるとこれらの衣は、みんな剝げ落ちます。末期というのは、これまで着けていた衣が剝げ落ちて、魂がむきだしになるときです。そのときに魂に平安があるかどうかが勝負です。

ホスピス緩和ケアの領域で、魂のケア、すなわちスピリチュアルケアの重要性が叫ばれています。日本ではホスピス緩和ケア病棟が四〇〇を超えました。そこでは痛みをはじめとする不快な症状のコントロールはかなりしっかりとできるようになりました。精神的なサポートもまずまずだと思います。不足しているのはスピリチュアルサポート、魂のケアです。その充実が今後の重要なホスピスの課題だと思っています。

その二　死を想う

日本人の死亡場所

高齢者問題の中で、その死に場所に関することは、個人、家族の問題であると同時に、国全体の重要な課題です。

表1　日本人の死亡場所（2019年）

病院	71.3%
自宅	13.6%
老人ホーム	8.6%
診療所	1.6%
介護医療院・介護老人保健施設	3.0%
その他	1.9%

厚生労働省人口動態調査　2019

表2　日本人の死亡場所の年次変化

	病院死	自宅死	老人ホーム死
1990年	71.6%	21.7%	—
1995年	74.1%	18.3%	1.5%
2000年	78.2%	13.9%	1.9%
2005年	79.8%	12.2%	2.1%
2010年	77.9%	12.6%	3.5%
2014年	75.2%	12.8%	5.8%
2015年	74.6%	12.7%	6.3%
2016年	73.9%	13.0%	6.9%
2017年	73.0%	13.2%	7.5%
2018年	72.0%	13.7%	8.0%
2019年	71.3%	13.6%	8.6%

厚生労働省人口動態調査　2019

表1は厚生労働省が発表した二〇一九年（令和元年）の日本人の死亡場所です。七一・三％の人が病院で亡くなっており、自宅で死を迎えた人は一三・六％しかありません。ちなみに病院死はフランスが六割以下、米国は四割程度、福祉先進国といわれるオランダに至っては三割以下となっています。

表2は日本人の死亡場所の年次変化です。病院死は二〇〇五年（平成一七年）には八〇％近くでしたが、少しずつ減り、二〇一九年には七一・三％になりました。これ

からも少しずつ減少すると考えられています。自宅死は一九九〇年（平成二年）には二一・七％だったのが、二〇〇五年には最低の一二・二％になり、その後少しずつ増加して、二〇一九年には一三・六％になり、今後も少しずつ増えると予想されています。老人ホーム死が着実に増えているのがはっきりとわかります。

どこで死にたいか

私が理事長をしているホスピス財団が約一〇〇〇名を対象にした二〇一八年（平成三〇年）の調査があります。結果の一部を紹介します。「もしあなたががんで余命が一～二カ月に限られているようになったとしたら、自宅で最期を過ごしたいと思いますか」と尋ねたところ、全体の七割以上の人が自宅で過ごしたいと答えました。一方、その実現可能性に関しては、「自宅で過ごしたいが、実現は難しいと思う」と回答した人が四一・六％、「自宅で過ごしたいし、実現可能だと思う」と回答した人の三一・

二%を上回りました。

　性別でみると、最期は自宅で過ごしたいと思っている人は男性で七二・三%、女性で七三・四%と、性別を問わず多いのですが、男性では「自宅で過ごしたいが、実現は難しいと思う」三八・九%、「自宅で過ごしたいし、実現可能だと思う」三三・四%と、ほぼ二分されているのに対し、女性では「自宅で過ごしたいが、実現は難しいと思う」四四・三%が、「自宅で過ごしたいし、実現可能だと思う」二九・一%を一五ポイントも上回っていました。女性のほうが現実的なのかもしれませんし、パートナーにそれほど期待していないのかもしれません。

　二〇〇六年（平成一八年）の調査、二〇〇八年（平成二〇年）の調査、二〇一二年（平成二四年）の調査と比較すると、「自宅で過ごしたいが、実現は難しいと思う」と回答した人が、六三・三%↓六一・五%↓六三・一%↓四一・六%と大幅に減少し、「自宅で過ごしたいし、実現可能だと思う」と考える人が増加していました。この増加の理由はいろいろ考えられますが、厚生労働省が在宅での看取りを勧めていること、病院死の課題を国民が認識しはじめたこと、在宅医療に対する理解が進んできており、自宅で最後まで過ごせると知っている人が少しずつ増えていること等の現状を示していると考えられます。

孤独死の問題

「在宅医療・看護を考える会」で話題になったことです。在宅医療を重視しているある市のある区の在宅死が、全区の中で一番多いことがわかりました。その区は在宅医療を特に熱心に進めており、在宅での看取りにも積極的に取り組んでいるので、その結果として在宅死が一番多くなったのであろうとのことでした。ところが後日、明らかになったことは、その区の孤独死が多かったから統計的に「在宅死」が多くなったということでした。普通の統計ですと孤独死は在宅死に含まれるのです。孤独死の実態はしっかりとつかめていませんが、年間二・七万人という報告もあります（二〇一一年、ニッセイ基礎研究所調べ）。孤独死の増加は超高齢社会を迎えた日本の悲しい現実といえるでしょう。一人暮らしの高齢者の数は年々増えており、第一次ベビーブーム世代が七五歳以上になる二〇二五年には、一人暮らしの者が六五歳以上人口に占める割合が、男性で一六・八％（約二六八万人）、女性で二三・二％（約四八三万人）にまで増加する見込みです。

誕生日に死を想う

ホスピスという場で多くの人を看取って感じるのは、死の準備をすることの大切さです。誰一人の例外もなく訪れる死に対して、何の準備もしないのはよくないのではないかと思うのです。今、日本人の死因の第一位はがんで、三人に一人はがんで死にます。二人に一人ががんになります。がんになったとき、どこまで治療をするか、延命処置はどの程度するか等、あらかじめ考えておくことが大切です。高齢で衰弱が進み、口から食べられなくなったとき、点滴をするのかしないのか、これもあらかじめ考えておくほうがいいでしょう。

一般の方々を対象にした講演会で、私は「誕生日に死を想う」ことをお勧めしています。毎日死を考えることは不必要かもしれませんが、年に一度くらいは自分の死について、じっくりと考えてみることが大切だと思うのです。「この世に生を受けた者は、ただ一人の例外もなく死を迎える」わけですから、年に一度の誕生日に死を想うのはいいことではないでしょうか。

病院や学校では年に一度「火災訓練日」があります。消防署から消防士さんが来て、たとえば、病院の場合、「三階の内科病棟から出火」という想定で、消火器の使い方の指導や、患者さんの搬送の訓練をします。私が勤めていた病院は六五年間一度も火災は発生していません。発生率〇％の火災のために年に一度備えるのであれば、発生率一〇〇％の死のために年に一度備えるのは当然かもしれません。特に高齢者二人の家庭の場合、どこで死を迎えるかを率直に話し合うことが大切です。一人暮らしの場合は、孤独死を避ける具体的な方策を考える必要があります。年に一度は必ずやってくる誕生日に、しっかり自分の死について考えるのはとてもいいことだと思います。

以上『作業療法ジャーナル』の連載より構成

「老い」をいかに受容するか

【対談】鎌田 實

鎌田 實

東京医科歯科大学医学部卒業後、諏訪中央病院へ赴任。三〇代で院長となり、潰れかけた病院を再生させ、「地域包括ケア」の先駆けを作った。現在、諏訪中央病院名誉院長、地域包括ケア研究所所長。チェルノブイリ原発事故後の一九九一年より、ベラルーシの放射能汚染地帯へ一〇〇回を超えて医師団を派遣、また二〇〇四年からはイラクの四つの小児病院へ四億円を超える医療支援を実施、難民キャンプでの診察を続けている。国内では被災地支援にも力を注ぐ。著書は『がんばらない』（集英社）、『鎌田式「スクワット」と「かかと落とし」』（集英社）他、多数。

地域医療の重要な柱、緩和ケア

柏木 鎌田先生に実際にお目にかかったのは一度だけですが、ご著書や映像を拝見するというかたちで、私はよくお会いしております。最近、先生の『コロナ時代を生きるヒント』(潮出版社、二〇二〇)という本を読ませていただいて、先生の興味・関心の広さと深さに非常に感動いたしました。

本日の対談は「老い」がテーマですが、まず、先生が長年取り組んでこられた「緩和ケア」について、どのような考えをおもちか、お聞かせいただけますか。

鎌田 僕は、緩和ケアや緩和ケア病棟に対して大変興味をもちつつ、四六年間、地域医療というものに取り組んできました。これまでの活動の柱の一つは健康づくり、もう一つは在宅ケアとその広がりとしての地域包括ケアで、一九八四年(昭和五九年)に諏訪中央病院でデイケア等のサービスも始めました。三つ目の柱は、やっぱり緩和ケアですね。

田舎の病院で、どう温かな医療ができるかを考えたときに、この三つがすごく大切なのではないかと思ってきたんです。特に三つ目の緩和ケアはかなり専門性が高いものですから、遠く柏木先生のやっておられるお仕事や、書かれている本や、おっしゃった言葉を、一つの指標みたいにしながら、緩和ケアを何となく自己流でやってきました。

当初は、わずか六床という日本で一番小さな緩和ケア病棟でした。人口五万五〇〇〇人ぐらいの町に緩和ケア病棟が存在し得るのかと悩んだものです。公立病院ですので、地方議員さんから「先生の気持ちはわかるけど、死ぬところだとわかっている場所に、田舎の人が行くだろうか」と言われたときは、柏木先生がいつもおっしゃっていること等を一生懸命わかりやすく説明して、理解者になっていただきました。地域の人たちには、「ほろ酔い勉強会」という勉強会を通して緩和ケアを広めていきました。ですから、今回、柏木先生にお会いするのをとても楽しみにしていたんです。

柏木　ありがとうございます。私自身はもともと精神科の医師でしたが、いろいろなことが関係してホスピスというものに非常に関心をもつようになって、イギリスのホスピスの現場でしばらく働く機会があったことから、ちょっと変な表現ですが〝ホスピスにとりつかれた〟ようになってしまいました。それから、ホスピスを担当するには身体をちゃんと診ることができないといけないので、三年ばかり内科の研修を受けまして、その後、ホスピスをスタートさせました。

そういう意味で、ホスピスは私のライフワークであったわけですが、このホスピスという横文字がなかなか広がりにくい。淀川キリスト教病院に、院内病棟型の〝ホスピス〟を誕生させようとしたときには、厚生省（当時）医政局に、病棟の名称等には〝ホスピス〟ではなく〝緩和ケア〟という言葉を使ってほしいと言われました。「それは困る」と言ったら話がなかなか前に進まないので、〝緩和ケア〟という言葉を導入することにしたのです。

何事にもプラスの面とマイナスの面があって、私自身は〝ホスピス〟という言葉の影が少しずつ薄くなるような気がしたのですが、〝緩和ケア〟という言葉を使ったら、途端に病棟の数が増え出したんです。先生もご存知だと思いますが、今、緩和ケア病棟は四〇〇を超えるまでになりました。ただ、はじめから危惧していたことですが、本当の意味でのホスピス精神、ホスピスの心というものが、かなり薄くなってしまっている。〝緩和ケア〟という言葉だけが原因というわけではないですけれども。言葉はともかく、ホスピスの心というものはずっと維持してほしいと思っている次第です。

鎌田 同じ言葉の問題でいうと、僕は、国から「地域包括ケアのシステムを日本中の全市町村につくりなさい」と言われたとき、病院医療をやっている人にもわかりやすいかなと思って、その〝地域包括ケア〟という言葉を使いました。でも僕は〝地域医療〟という言葉が好きで、ずっと地域医療をやってきたつもりだったので、先生がホスピスという言葉にこだわるのと同じように、〝地域包括ケア〟ではなくて〝地域医療〟という言葉に今でもシンパサイズ（共感）しています。

「老い」を受容すること

鎌田 キューブラー・ロスが提唱した「死の受容のプロセス」というものがありま

す。末期がんで助からないとわかったとき、まず「否認」、そして「怒り」、「取引」、「抑うつ」、最後に「受容」と、心が五段階に変化すると。これは今回のテーマの「老い」にも当てはまるんじゃないかと思います。「老い」について本人が納得するということは、すごく大事だと思うんです。

何か「老い」の前兆みたいなものが出てきたときにも、人は「いや、俺はまだまだだよ」と否認をしたり、「冗談じゃない」という怒りの気持ちが湧いたりする。死が密接にかかわるターミナル（終末期）の状況とはちょっと違うので、その五段階は、行ったり来たりしながら苦しいかたちで受容へ向かうというよりは、人によっては一瞬のうちに受容へ向かえるし、なかなか納得できず、「まだまだ俺は若いんだ」と受容に向かわない人もいるという感じだとは思いますが。

「老い」に対処していくうえでは、この納得ができること、受容ができること、そして最後のところで「老い」を楽しむことが非常に大事なんじゃないかな。「老い」は楽しめるはずだし、「老い」を納得できたほうが楽しみやすいと僕は思っています。

そこで、キューブラー・ロスがいう「受容」に、到達できる技術みたいなものがあるのか、その技術は「老い」の納得にも役立つのか、柏木先生にお聞きしたいです。

柏木 先生の言われるとおり、キューブラー・ロスの五段階は、「老い」への受容の五段階と言い換えてもいいくらい、共通したところがあると私も思います。なかなか死を受け入れることができない末期の患者さんが、ホスピスに入院されて、かかわりの中で少しずつ死を受け入れる気持ちになってくださる。「老い」を受け入れるプロセスでも、死を受け入れるプロセスとも共通するかかわりを誰かがもつことで、受け入れやすくなるのではないかと思えてしかたがないんですね。

末期の患者さんが次第に弱っていって、死を考えざるを得ないという状況は、つらく切なくやるせないことであるに違いない。そんなとき、そばにそれをわかろうとする人が存在するということが、決定的に大切な要素だと思うんです。その人の家族が、死を受け入れることができないまま励まし続けて、最後まで励ましっぱなしという場合には、死を受け入れようと思っても受け入れられないかもしれません。同じように、老いることのつらさのようなものを誰かがわかってくれていると心の底から感じる体験をしたときに、「老い」を受け入れることが成立しやすくなるのではないかと思います。

鎌田　「老い」について、いずれ回収される廃品のように、何かが壊れていく経過や結果だと思い込んじゃっている人が多いけれども、「老い」というのは逆に、いろいろな物事を深く理解することができるステージへ上がっていくことだと思う。つまり、「老い」に価値を与えることによって、「老い」に対する受容や納得がしやすくなるんじゃないでしょうか。世の中が「老い」をマイナスのイメージに語りすぎているように思うんですね。

柏木　本当にそのとおりですね。

受容については、ある学会での、老人ホームの施設長の講演の、冒頭部分が非常におもしろかったのでご紹介します。老人ホームですから、老いと死は日常茶飯事なんですね。ところが、入所しているご老人たちは、あまり老いや死について話題にすることがない。それはよくないんじゃないか、きょうは入所者と老いについて話をしようと、二、三人のご老人が散歩をしておられる後ろから、「おいおい（老い老い）」と声をかけたら、みんなすっと横を向いてしまった。その後、三、四人のご老人が雑談をしておられて、よし、この人たちと死について話し合おうと、近づいて死の話をしかけたら、人差し指を唇に当てて「シー（死）」と言われたと（笑）。

鎌田　なるほど（笑）。

柏木　これは言葉遊び的なものですが、老いや死というものは、できれば意識に上らせたくない、考えたくないと思いがちです。先生が言われたように、否定的にしか受け取れない事柄になってしまっているというのはちょっと悲しいなと思いますね。

四つの痛み

鎌田 ホスピスケアの中で痛みは大変大きな問題ですが、その痛みというのは、肉体的な痛み、心理的・精神的な痛み、社会的な痛み、スピリチュアルな痛みの四つに分けられるといわれています。諏訪中央病院には若い研修医や医学部の学生がよく研修に来て、僕の回診にも若い医師の卵たちがついて回ってくれるので、いつも「四つの痛みについて患者さんに何かしてあげられることはないか、僕は考えながらやっているんだ」と言っています。

僕は今、諏訪中央病院の緩和ケア病棟で週一回、回診をしています。主治医たちがいるし、精神科医もそこに加わっているし、PT(理学療法士)やOT(作業療法士)が加わったり、手術をした外科の先生がそのまま主治医として緩和ケアの回診をしたりと、二重、三重にホスピスケアが行われているので、僕が回診するときに、他のドクターたちとは違う役割がないだろうかといつも考えています。主治医は一生懸命肉体的な痛みを薬によってコントロールするということをやられているから、僕にはそれ以外の、精神的な痛みへの対応等も期待しているんじゃないかと思っています。

柏木 精神的な痛み、つまり患者さんの不安やいらだちといったものへの対応ですね。

鎌田 はい。

同じように「老い」を感じる時期についても、四つに分けてみると、わかりやすくなりませんか。たとえば、「老い」がどのようにやってくるかを社会的な面で考えると、会社員だったら、定年退職したときに自分の老いを感じるのかな。「老い」とスピリチュアルをつなげるのは難しいですが、スピリチュアルを「文化的なもの」と考えるといいかもしれません。還暦や喜寿を迎えるとき、お祝いをしてもらって嬉しいけれども、同時に「老い」を感じてしまう。江戸時代だったら、とっくに隠居している年齢ですからね。

柏木 昔ならそうですよね。

鎌田 それからもちろん肉体的に、目が少し弱くなったと感じるときとか、何もできていないのに皮膚がとにかく痒くて、病院で「ああ、皮膚の老化ですね。皮膚掻痒症というものです」と言われるようなとき。僕は七三歳なんですが、先日、免許証の更新で、やっぱり視力がちょっと落ちてきたかなと、自分の「老い」を肉体的に感じました。

もう一つの心理的・精神的なものについては、実態と乖離している場合が多い。社会的には定年を迎えたり、還暦のお祝いがあったりするし、肉体的にも少しずつ老いを感じ出してはいるんだけれども、心理的なもののバランスがうまくとれないために、「老い」を楽しむところにいかず、老いを否定しちゃう。僕の活動の三本柱の一つである健康づくりでいうと、これから老いをどう楽しみながら、どのように老いのスピードを緩めて、健康づくりをしていくかというときに、「俺はまだまだいけるよ」というような心理的な要素の乖離が、足を引っ張っているんじゃないかという気がしているんですよね。どうですかね。

柏木 いや、先生の言われるとおりだと私も思います。

「老い」の感じ方には個人差もありますから、肉体的なものとのバランスをとっていくのはなかなか難しいですね。たとえば私の場合ですと、今八二歳なんですけれども、六九から七〇になったときには歳をとったとはほとんど思わなかったんです。ところが、七九から八〇になったときには、それを意識したからかもしれませんが、「ああ、歳とったなあ」と実感しました。脚が弱る。それから私の場合は、八〇を過ぎてからとにかく痩せてきたんです。ここ数年で数キロ痩せました。

参考までに、健康法として私なりに実行していることをご紹介しますと、「真向法《まっこうほう》」を四〇年ばかり一日も欠かさずやっています。今はそれに加えて、「足踏み」ですね。器具を使って、足踏みと、脚を開いたり閉じたりするということを、これも一日も欠かさずにやっています。私、そういう凝り性な質で。

鎌田 偉いですね。

柏木 やっぱり自分が高齢者になったんだということを認めつつ、それをネガティブにとらないように心を寄せていくことが大切だなと、私もこのごろ強く思うんです。

二・五人称

柏木 患者さんとのかかわりで、何か心がけていることはありますか。

鎌田 そうですね。緩和ケアの対象となる患者さんにとって、自分の命は一人称の問題ですけれども、僕はいつも、〝二・五人称〟の立場で患者さんと接することができたらいいなと思っています。在宅医療の往診や緩和ケア病棟の回診で、若いドクターたちがついてきたときにも、僕自身の心構えとして、「二・五人称のような姿勢で来ているんだ」という話をします。

柏木 二・五人称ですか。

鎌田 はい。「自分はもう死んじゃうんだ」と、非常につらい思いでいる患者さんの回診をしているけれど、その僕にも、この世とおさらばしなくちゃいけない時期は来る。それは納得している。だから、結局そんなに差はないんだっていう思いで、二・五人称というわけです。客観的な第三者ではなく、かといって家族のように二人称にはなれないけれども、第三者の専門家というより、できれば二・五人称という立場を常にとっていきたいなと思っています。

柏木　私はホスピスで二五〇〇名ぐらいの看取りを体験していますから、先生の言われる二・五人称というのは、まさにぴたっときます。

鎌田　緩和ケアの実践で柏木先生をはじめとする方々が広げてきた知識、キューブラー・ロスの死の受容のプロセスという視点、また四つの痛みという視点は、少し変換させれば「老い」に対しても使えるという発想が、緩和ケアのこの二〇年くらいの進歩の中で生まれてきているのではないかという気がしています。そしてもう一つ、この一人称と二・五人称の問題。老いつつある一人称としての自分と、地域医療をやっている臨床医としての、二・五人称でいたいと思っている自分。そういう視点から「老い」をどうみるのか。

柏木　老いている人、老いつつある人、いわゆる高齢者と呼ばれる人たちに対して、いろいろな場面で二・五人称的なかかわりをもちたいという思いが、私もすごくあります。二・五人称的なかかわりについて、もう少し教えていただけますか。

鎌田　たとえば高血圧等、老いからくる肉体的な問題と闘っている患者さんに対して、内科医の僕が第三者として〝自分は健康でピンピンしているんだ〟という態度で治療をしていくのではなくて、自分も老いはじめていることを明確に伝える。老いるスピードをどうやって緩めようとしているか、自分も一緒に老いていく仲間として、「僕はこういう工夫をしているんだけど」と言ったりします。すると、共感が生まれて、不思議と患者さんの血圧が少し下がったり、血糖値が下がったりするんです。そこで「こんな数字が出て、僕は今日、とっても嬉しいよ」と伝えると、「ああ、先生が喜んでくれるのか」とまた共感が生まれる。

それはたぶん、三人称ではなくて、二・五人称です。自分も一緒に老いを感じながら、老いを少しでも楽しめるように、〝一緒に老いのスピードを緩めていこうよ〟という感じになると、医師と患者はもう少し温かい関係になるのかなと思います。僕は、四六年間、ずっとそういうつもりで地域医療をやってきたんです。緩和ケアだからとか、高齢者医療だからということではなくて、すべての医療において、二・五人称的な立場でいたいなと思っているんです。

柏木 それはすごく大切なことだと思いますね。私の場合ですと、そのまますぐに二・五人称になれるときと、意識しないとなかなか二・五人称になれないときがあります。

たとえば、八〇歳で、老人性のうつ状態にある患者さん。ほとんど歳が同じですから、「いやあ、私も時々へこむことがありますからね。お気持ち、よくわかります」と、構えなくても、地のままで二・五人称になれる。けれども、ターミナルケアの場合は、〝自分はたぶん、まだしばらく生きるだろう。しかし、この方はもう限られた時間しかない〟と思ってしまう。そこで二・五人称を実現させようとすると、心の中で転換しないといけない部分がある。二・五人称になろうという強い意志をもっているかどうかにかかっていますね。

鎌田 以前、対談をした緩和ケアの専門医は、ご自身も厳しいがんでした。その先生は、柏木先生が言われたように、地のまま自然に二・五人称で患者さんと触れ合っているとと思うんですね。

でも、医療者である僕たちは、一つの技術として二・五人称になっていく必要がある。その技術をきちっと身につけているというのは、患者さんやご家族にとって、きっと、とてもありがたい、嬉しいことなんですね。そういう、二・五人称的な立場になれる技術を若いドクターたちにもってもらいたい。自分は、もち続けていく努力をしたいと思っています。

柏木 二・五人称的なかかわりについては、先生の出されてきた本にも具体的に記されているわけですね。

鎌田 「二・五人称」とは書いていないかもしれないけれど、そうですね。『がんばらない』（集英社、二〇〇〇）などは、ありがたいことにベストセラーになりましたけれども、実際に起こったことを綴ったエッセイですから、自分の視点としては二・五人称で患者さんと触れ合っていると思います。この『がんばらない』でもほとんどの患者さんは亡くなっていくわけですが、二人称にはなれないけれどせめて二・五人称でいたいという意識を貫いていますし、多くの本で、二・五人称的なかたちでの患者さんとのやり取りが成立していると思っています。

「癒されました」

柏木 言葉に対するこだわりといえば、私はホスピスで、かなり多くの患者さんから「いやあ、先生、ここに来て癒されました」と言われるんです。辞書で「癒す」という言葉を引くと、ほとんどの辞書には「けがや病気を治すこと」と書いてある。ホスピスの患者さんは、もう〝癒される〟ことがないから来られたわけですよね。でも、「ここに来て癒されました」と言われるので、「癒す」には何か他の意味があるのではないかと思って、いろいろな辞書を調べたら、一つだけ、ある辞典の「渇を癒す」の語釈に〝長い間欲しくてたまらなかったものを手に入れて満足する〟というようなことが書いてあったんです。欲しくてたまらなかったものが手に入ったときの気持ちを、〝癒された〟という場合があると。

鎌田 なるほど。

柏木 私、何人かの患者さんに「今、『ここに来て癒されました』って言われましたが、どういうふうにですか」って尋ねたことがあるんです。すると、共通しているのは、「前の病院の悪口を言うのは嫌なんですけど、先生も忙しいし、看護師さんも忙しいし、みんな、そばに座ってゆっくり話を聴いてくださったことがないんです。でもここに来て、お医者さんも看護師さんも、本当に時間をかけて、ゆっくりと私の話に耳を傾けてくださる。これがもう本当に嬉しくて」と、表現の仕方はいろいろですが、大体そういうことだった。それに対しての、「ここに来て癒されました」だったんです。先ほどの二・五人称でいうと、〝二・五人称的な態度〟がなかったら、なかなか人を癒すことはできないんじゃないかと思うんですね。

鎌田 そうですね。癒されたのは、長い間望んでいた〝何か〟が手に入ったからなのでしょう。安心ですかね。

柏木 気持ちをわかってもらえたということだと思うんです。やるせない、つらい、切ない。そういう陰性感情を患者さんがもっておられて、その気持ちをわかってもらえたというのが〝癒された〟という言葉の元ではないでしょうか。

鎌田　ああ、わかる。

「老い」の場合で考えてみると、二・五人称的な態度をとるまでもなく、自分でそこを乗り越えていく人たちも結構います。一方で、老いから「うつ」になる方たちもいらっしゃいますから、そういう方たちに、緩和ケアで僕たちが質を高めてきた技術は使えるのではないか。老いていく中でちょっとつまずかれた方を、どう癒せるか、「老い」を納得して前を向けるようにするにはどうしたらいいかというとき、緩和ケアから学ぶことは多い気がします。

柏木　共通する部分があるんじゃないでしょうかね。

鎌田　ありますよね。

柏木　老人性のうつの場合、これは聖書に書かれていることなんですが、「気分が落ち込むってつらいですよね」という言葉かけをしなさいと。つまり、患者さんは自分で「気分が落ち込んでつらいんですよ」とはあまり言わないから、その人の代弁者的に治療者が「つらいですよね」と言うことは、二・五人称的になれているということではないかと思うんですね。

鎌田　僕もそう思います。

僕は長く地域医療を通して、往診もして、高齢者をたくさん診ていますが、健康長寿の秘訣というか、老いをうまく乗り越えていく人には共通点があると思っています。一つ目は、とにかくよく動いている。八〇なのに、九〇なのに、よく動くこと。二つ目は、よく食べること。それから三つ目は、好奇心が尋常じゃなく旺盛なこと。四つ目は、ちょっと〝頑固じじい〟にもみえるんだけれども、良く解釈してあげると、卓越した自分流をもっていること。この四つかなと感じているんですが、先生、どうですかね。

柏木　①よく動く、②よく食べる、③好奇心旺盛、④自分流を貫く、ですね。答えになるかどうかわかりませんが、この四つを実現している方は、老人性のうつにはなりづらいですね。

鎌田　そうですか。なるほど。

柏木　老人性のうつになる方は、病前からあまり動かないし、食も細い。それから、好奇心がもともと不足していて、「私はこういう考えなんで、こういうふうにやってきました」という、いわゆる自分流、自己流を貫きたいという意識が希薄といいますか……。

鎌田　自分流って、たぶん自己肯定感が強いから通せるんでしょうね。自己肯定感が強いって、老いを乗り越えていくうえではすごく大事なんですよね。

柏木　「まあ、これでいいじゃん」という感じ。

鎌田　そうですね。

柏木　それでいて、不思議と人に嫌な印象を与えない。自己肯定感が強くても、自慢してひけらかすという感じではなくて、むしろ〝頑張っているな〟という、爽やかさのような感覚を与えるような自分流をもっているといいですね。

ピンピンヒラリ

鎌田　僕の造語ですが、「PPH」というものがありまして。一時期「ピンピンコロリ」、「PPK」（元気に長生きして、コロリと死ぬこと）がいいといわれていましたが、新型コロナウイルス感染症が流行してから、「ピンピンコロリ」という言葉はすごく使いづらいというか、とても失礼な言葉なんじゃないかと思うようになりました。それで、誰かに何かを強要することなく、ヒラリとあの世に行けちゃうくらいに、最後の最後までピンピンしていたいなと思って、PPHって言い出したんですね。二年ぐらい前から。

柏木　ピンピンヒラリですか。

鎌田　ピンピンヒラリですね。PPH。僕が四六年間、地域包括ケアをやってきて感じたPPHの極意の一つは、老いてから生活の場を変化させないことです。たとえば、引っ越しをしないとか。老いてからの劇的な変化は、随分マイナスが多いんじゃないかと思います。娘さんに呼ばれて東京に行っちゃった人から、「結構大変な思いをしました」って電話がかかってきたりします。

東京の息子さんに一緒に生活しようと言われて、「先生、どうしよう」と相談してきた人がいるのですが、「いや、ここ（諏訪）が好きなら、ここで一人でも生きていけるんじゃないの」と言ったら、「本当はここが好きなんですよね。ここにいれば小さな農業もやっていられるし。東京へ行ったら、農業もできなくなっちゃうし、知り合いもほとんどいなくなっちゃうもんね」と。息子さんも了解してくれて、結局、いけるところまでいきますかという話になりました。

身体がだんだん弱ってきてから、その人が「先生、もう最期もここでいいよ。息子は施設に入れと言うけれども、どうしても治療が必要なときは、短期間だけ諏訪中央病院で診てもらえばいいし。最後はどうせ死ぬんだから」と言うので、僕が「講演で遠くに行っていることもあるし、急に何かあっても、僕は間に合わないかもしれないよ」と返したら、「問題ないよ。逝くときは一人なんだから。先生は翌朝、確認に来てくれればいいよ」って。先ほどの受容という話にもつながりますが、納得した人は強いですね。
一人暮らしは、寿命を短くするとか、認知症になる確率が高いとか、マイナスのデータがいっぱい出ていることは間違いがないんだけれども、じゃあ一人暮らしは本当に駄目かというと、納得して一人暮らしをしている人は、最期まで満足感のほうが強いんじゃないかと思うんです。

柏木　その人の「心の芯」といいますか、よほどしっかりしたものをもっておられる方でないと難しいとは思いますが、そうかもしれませんね。

鎌田　ＰＰＨの極意の二番目は、自己決定。自分でちゃんと決めていることです。もしものときにどうするか、たとえば「何かあっても救急車は呼ばなくていい」と、自分で決めて紙に書いて、冷蔵庫に貼っているおばあちゃんがいたりするんです。近所の人が慌てて救急車を呼ばないように。
これは、在宅ケアをちゃんと諏訪中央病院がやっているから、ある日突然自宅で亡くなるという事態になっても、お巡りさんが不審死を疑って調べに来ることはないという信頼の表れでもあるかな。たとえ最期のタイミングに間に合わなかったとしても僕らが証明をしてくれる、自分を守ってくれると信頼してくれているんでしょう。救急車を呼んで病院に運ばなくてもいいと、自分で決めている。

柏木 それはすごいですね。

鎌田 僕が「この紙、すごくいいけれども、自分の人生はこれでいいと、東京の息子さんたちにも伝えておいたほうがいいよね」と言うと、この方は「ああ、そうね」と言っていました。そういうことについて、ちゃんと息子さんや娘さんに話をしている人は強い。息子さんや娘さんが、いざというときに大慌てで病院に運んで、おばあちゃんが望んでいない人工呼吸器につないじゃったりすることもなくなります。自分の老いや、老いの向こう側にある死について、自分だけじゃなく、家族や近所にまで納得させている人は強いなと感じたんですよね。

柏木 強い人って、話を聴いていてこちらが慰められるというか、勇気づけられるということがありますね。いやあ、この人すごいなと思わせてくれる人っていうのはいいですね。

鎌田 そうですね。

柏木 そういう患者さんに会うとほっとします。

鎌田 そして、PPHの極意の三番目は、友だちを大事にするということかな。家族や夫婦で生活するということは、それなりにセーフティネットではあるんだけれども、夫婦でも一人になる時期がいつかは来るわけです。友だちだとか、ケアマネジャーや訪問看護師だとか、往診してもいいよと言ってくれる医師だとか、そういう人間関係を元気なうちにつくっておくことがPPHの極意になると思うんです。

柏木 三番目の極意をお聞きして、先生が本の中で書いておられたエピソードを思い出しました。病気や老いで困難に直面している人をほとんど制限を設けずに受け入れる、いわゆる〝ホームホスピス〟のような施設が全国に五十数カ所もできていると。そして、その中のある施設で夫を看取った奥さんが、看護師でも事務員でもない、そのお世話係のような方にすごく親身に夫のケアをしてもらって、夫が亡くなってからも、その方との友情関係というか、人間関係の中で支えられて生きているという。それを読んで、家族以外の人間関係で支えになってくれる人が一人でも存在するということが、その人にとって非常に大切になる場合があるんだなと感じたんです。

鎌田　そのとおりだと思います。家族以外ということでいうと、家族代行サービスや生活相談等を行う一般社団法人LMN（Life & Medical & Nursing の略）の代表理事、遠藤英樹さんと対談したときにうかがったことを思い出します。ここの事業では、亡くなった後、お葬式まで出してくれるそうなんです。

一人暮らしの場合、老いや死をちゃんと受け入れて最期まで〝自分らしく〟を貫けるかどうか、自信がない人がいるかもしれないけれども、友だちに支えられる場合もあるし、こういう家族の代行をしてくれるビジネスに支えられることもある。多様に支えてくれるものが、少しずつできてきているので、それを知ることで老いは不安ではなくなる。老いの向こう側にある死も不安ではなくなるんじゃないかと思うんですね。

柏木　我田引水かもしれませんが、緩和ケアという言葉がかなり広がってきた中で、ケアという言葉も、ごくごく普通に使われ出した。特別のものではない、人と人とのかかわりの中から生まれるものも、非常に大切なケアなんだという、そんな流れが日本全体を少し覆い出したかなと、そんな感じが私はしています。

どこで死ぬか

鎌田 「老い」の向こう側にある「死」の話ですが、厚生労働省の発表した二〇一九年（令和元年）の人口動態調査で、病院や診療所で亡くなっている人は八四・五％、自宅で亡くなっている人は一三・六％、その他が一・九％なんですね。僕は、自分のつくった緩和ケア病棟に自信があるから、がんだったら諏訪中央病院のホスピス病棟でもいいかなと思いながら、でも、やっぱり自宅がいいな、いやいや、待てよ、その他の一・九パーセントっていうのは魅力的だなって（笑）。

一・九パーセントのその他が魅力的というのは、実は歌手が舞台の上で亡くなったら幸せなんじゃないかなとか、僕だったら講演をしている最中かなとか、そんなことを考えたからです。僕はイラクの難民キャンプやチェルノブイリの放射能の汚染地域に子どもの診察に行くこともありまして、そこで急に心臓発作かなんかで倒れたら、難民キャンプの人たちもドクターも慌てるかもしれないけど、たぶん、ものすごく手厚く診てくれる気がします（笑）。日本にいる家族には、「冗談じゃないわよ、死ぬほうはいいかもしれないけど、どうやって迎えに行くのよ」と言われそうですが。

柏木 確かに、ご家族は大変そうです。

鎌田 結局、死ぬ場所が病院か、自宅か、その他かということよりも、大事なのは、自分たちは老いるということ、そして死ぬということを、できるだけ早く納得していくことでしょう。それが老いる恐怖や死ぬ恐怖から離れることにつながるんじゃないかと思っています。自分はいつまでも老いない、いつまでも死なないと思っているから、死が近づいたとき、不安や怒りがやってくるのではないでしょうか。

柏木先生にお聞きしたかったのですが、先生はどこで死ぬことを望みますか。

柏木 いや、できればやっぱり自分の家で死にたいですね。そして私、家内にいつも言っているんです。「絶対、先に逝くなよ」、「私を看取ってから逝ってくれ」と。

鎌田 わがままですね（笑）。

柏木 私、普段はわがままな男じゃないんです。これは唯一の非常に大切なわがままなんで、ぜひ聞いてくれ、とにかく看取ってくれと、しつこいくらいに言っています（笑）。

たぶん、いつも家内に頼っているからだと思うんですが、先に逝かれるととっても悲しい。つらい。誰でもそうだとは思うんですけれど。特に死ぬことについては、場所というよりも時期が、とても大切だと思っています。

孤独と孤立

柏木 先生はご著書で「孤独」、「孤立」という二つの言葉を対比させておられましたが、それが非常に印象的でした。老いとともに孤独になったり孤立したりしてしまうけれど、孤独と孤立は違うということですね。孤独と孤立について、先生のお考えをお話しいただけますか。

鎌田 先ほどPPHの極意で「自己決定できる人は強い」と言いましたが、これは日本人の弱点で、苦手な人が多い。自己決定がなかなか進まないとき、二・五人称の医師を目指している僕は、「これと、これと、これと、どれがいい？」と聞きながら、できるだけ患者さんに自己決定をしていただくように心がけてきました。でも、自分が一人になることを怖がっていると、なかなか自己決定ができないように思います。

夫婦でも、いい距離感をもってそれぞれ自分の生活がちゃんと自立している場合は、それぞれが孤独な時間も時々もっているはずで、それがすごく大事なんだと思います。僕たち日本人は割合べたっと他者に依存しがちで、自分というものがないから、なかなか自己決定や選択ができず、人任せになってきたんじゃないかと思います。

そういう意味では、〝積極的な孤独〟というか、一人になることをそんなに恐れずに、早くからいい距離感をもっておくといいと思います。いつもご飯をつくってもらっている人は、自分でもつくれるようになっておくとかね。だから、大体五分ででできるメニューを紹介した『鎌田式　健康手抜きごはん』（集英社、二〇二一）なんていう本も出しました。哲学的に自立するだけじゃなくて、生活の作法としてちゃんと自立すること。それから、自分の生き方をちゃんと決めて、なおかついい夫婦関係が守られたり、友だちがいたりするということが、たぶん、これからの日本人に求められていることじゃないかと思っています。
ただ、孤独になることを恐れないというのはすごく大事だけれども、孤独と孤立を間違えちゃう場合があるんですよね。

柏木 孤独と孤立。確かに、似ているけれどちょっと違いますね。

鎌田 たとえば、五木寛之さんが『孤独のすすめ―人生後半の生き方』（中央公論新社、二〇一七）という本を書いておられるけれども、そのうわべだけをとって孤独になればいいかというと、孤立と間違えちゃうことがある。五木さんは次々に本を出しておられて、編集者ともすごくいい関係が保たれていて、決して一人にはなっていないんですよ。だけど、一人でいる時間がないと本は書けないから、〝一人でいる時間をもつ〟という意味での孤独はすごく大事にしておられる。僕たちは、そういった本を読むとつい、〝一人になること〟が大事なんだと思い込んで、結果として孤立してしまうんですよね。孤立すれば、認知症になる確率も病気になる確率も明らかに高くなるわけだから、社会的な孤立は防がないといけないんじゃないかと思って。
孤独と孤立をごちゃごちゃにしないで、自分であえて積極的に、一人になる時間をもつこと。一人でものを考えたり、一人で本を読んだり。自分の人生って何なんだろうということを、一人になってじっくり考える時間もちゃんともちながら。

内閣府が発表した令和三年版高齢社会白書では、親しい友人がいない高齢者が約三割（三一・三％）。この調査ではアメリカ、ドイツ、スウェーデンとの比較をしていますが、日本人は外国人に比べると、結果として圧倒的に孤立してしまっている。二〇一七年社会保障・人口問題基本調査（生活と支え合いに関する調査報告書）では「会話の頻度が二週間に一回以下」の高齢単身生活の男性は、一四・八％だそうです。

だから、『孤独のすすめ』を勘違いして受け取って、孤立して二週間誰ともしゃべらないとか、困ったときに相談する相手が誰もいないというようなことになったら駄目なんです。ちゃんと友だちがいること、あるいはケアマネジャーがいること、話したり相談したりできる人がいることが大事です。社会的な孤立をしないように注意しながら、でも孤独を恐れずに、自分の一人の時間を有効に使って、自分流の生き方をしていく選択がちゃんとできる人間になっていくことが、老いを乗り越えるうえではすごく大事だと思っています。

柏木　最後の言葉が胸に染みました。「孤立せずに、孤独を恐れるな」。私のこれからの老いの道に、そういう看板を立てておきたいと思います。

本日はお忙しい中、このような貴重な時間をいただいて、とてもいいお話し合いができたと私は勝手に思っております。鎌田先生には、ぜひこれからも働き続けていただきたい。大変ですけれども、本もどんどん出していただきたいと思っています。私も今までに五〇冊近く出しましたけれども、「よし、もう少し出してやろう」という気持ちになりました。先生、本当にありがとうございました。

（オンラインでの対談収録日　二〇二一年八月二三日）

豊かな老いを生きる
――ユーモアと宗教の視点で

【対談】釈 徹宗

撮影：竹中稔彦

釈 徹宗

一九六一年生まれ。浄土真宗本願寺派如来寺住職。相愛大学副学長・人文学部教授。龍谷大学大学院博士課程、大阪府立大学大学院博士課程修了。専門は宗教思想。兵庫大学生涯福祉学部教授を経て、現職。認知症グループホーム「むつみ庵」を運営する特定非営利活動法人リライフの代表でもある。著書に『歎異抄　救いのことば』（文春新書）、『落語に花咲く仏教—宗教と芸能は共振する』（朝日選書）、『お世話され上手』（ミシマ社）、『宗教は人を救えるのか』（角川SSC新書）他、多数。

チャレンジすること

柏木　釈先生に初めてお会いできるということで、とても楽しみにしておりました。最近のご著書の『歎異抄　救いのことば』（文春新書、二〇二〇）を拝読しましたが、非常に高度な内容ですね。テレビに出演されているところも何度か拝見し、そのご発言がつぼを押さえていて、とてもユーモアがあっていいなあと思っておりました。本日はよろしくお願いいたします。

釈　こちらこそ、よろしくお願いいたします。

柏木　私は今八二歳で、老いの真っただ中にいますが、一度「老い」について考えておきたいと思いました。理由の一つは、チャレンジでした。最近、書店に並ぶ本や新聞記事を見ていますと、老いを扱ったものが本当に多い。その中で、どういう観点から捉えたら「老い」に関して新しい話題を提供できるか、そこに挑戦してみたくなったんです。

本書のタイトルにもある「育む」という言葉は、日常会話の中ではあまり使われません。しかし、辞書によると「丁寧に愛情を込めて育てる、特に親鳥がひなを羽に包んで育てる」というところに由来するようなので、老いを「育む」という観点でみてみるのはいいのではないかなと思いました。どうも、老いとともに言葉に対するこだわりが強くなりまして（笑）。

釈 確かに最近、テレビや雑誌の特集等、老いに関する情報がすごく増えてきているなと私も感じています。医療、福祉の情報の他にも、老いをいかに生きるのかを扱った企画も多いようです。新聞の書籍広告で高齢者向けのものが増えているのは、新聞を読んでいる人に高齢者が多いからかもしれませんね。

以前、作家の五木寛之さんとお話をしていたとき、五木さんが「今は人生を三〇年ごとに分けて考えなきゃいけない世の中じゃないか」とおっしゃっていました。三〇歳まで、六〇歳まで、そして九〇歳までと、人生を三期ぐらいに分けて考えなきゃいけないんじゃないかと。昔と比べて寿命が延び、六〇歳以降の、お仕事をリタイアしてからの時間がすごく長くなりました。〝これから、どうやって生きていけばいいんだろう〃という思いをもっておられる方は少なくないのでしょう。

また、われわれの家族の形態も随分、変わってきていると思います。ご夫婦お二人で暮らしておられる方が多い。どちらかがお亡くなりになると、その日から独居が始まるという状況です。うちのお寺の近辺をみていても、一人暮らしの高齢者の方がすごく増えています。好むと好まざるとにかかわらず、自身の老いや老後の暮らしについて考えなきゃいけない状況じゃないかなと思います。

二〇〇五年（平成一七年）には生まれる人の数よりも亡くなる人の数が多いという逆転現象が起こりまして、二〇一〇年（平成二二年）に終末の活動、「終活」という言葉が新語・流行語大賞にノミネートされ、二〇一二年（平成二四年）にもベストテンに選ばれました。ちょうどこの辺りから、われわれ一人ひとりが自分自身の老いについて、あるいは死について考えなければならないという課題が現代社会から出されているような印象をもっているんです。

柏木　今の先生のお話をうかがっていて、私にはやはり先ほどの「チャレンジ」という言葉が浮かびました。

釈　チャレンジですか。

柏木　確かに一人暮らしのご老人が多くなって、会話もないし、することもないし、一日中テレビを観るだけという方も多い。ある程度の体力は残っていても、何かにチャレンジしたいという積極性がなかなか出てこず、とにかく静かに老いている。そのような老い方を否定するわけではありませんが、私自身、個人的には何かにチャレンジしたい。チャレンジしているご老人というのは、どこかに元気がありますよね。それは心のあり様が身体にプラスになっているからだと思うんですね。身体を鍛えていることで心に自信がつくということもありますので、身体から心に向かうベクトルはもちろんあると思います。けれど、むしろ心から身体に向かうベクトルのほうが強いのではないかなと最近、感じています。いかがでしょうか？

釈　そうですね、老いを静かに受け入れていくということと、常に前向きに何かに取り組んだり、チャレンジしたりすることは両立できるようには思います。たとえば、身体を鍛えるにしても、前向きにポジティブに心を保つにしても、順序というものがある。いい順序で心と身体をうまく調えることが、豊かな老いを生きるための手立てとしてあるというイメージをもっているんです。

連載されていた『老いを育む』を読ませていただきましたが、その中で柏木先生が順序についてすごく上手に表現しておられるところがありました。「寝られるようにはなったのですが、まだ、食欲が出ません」と説明する人と、「まだ食欲が出ないのですが、おかげさまで夜は寝られるようになりました」と表現する人では、後者のほうがいい方向に進んだというお話です。一つひとつの項目は同じでも、その順序が違う。これは、なるほどなと思いました。

物事を考えていく順序や新しいことに取り組んでいく順序は、その人の人生がそのまま表れるものなんですね。だから、いい順序で物事をみたり取り組んだりすることを普段から意識して身につけていく。それが、すごく大切なことではないかと思います。

大学で学生に教えるときにも、この話はよくするんですよ。大学の四年間で、物事を考える順序を身につけるようにしましょう。そのことが、きっと君たちが人生を生きていくうえで助けになることがあるからって。ものを考える順序や取り組んで

いく順序は、例えるなら、自分自身が生きていくフォームみたいなものです。これは頭がいいとか悪いとか、身体が強いとか弱いとかとは関係ありません。どのフォームがいいとか悪いとかいうこともないと思います。そうじゃなくて、自分自身のフォーム、順序ということです。それさえ完成できれば、仮につまずいたとしても、またその順序に戻ることで、立ち上がるときの力がきっと違いますよ。だから、ぜひ学生時代のうちに、物事をみて考える順序を意識してくださいってお話をします。物事をいい順序できちんとみていける、それはまさに、次第に老いが育まれていくプロセスでもあると思います。

高齢者の役割

柏木 自分自身が今、老いを迎えているので、時々、「高齢者の役割って何だろう」と考えるんですね。私にそれができているかできていないかは別にして、一つはやっぱり、「歴史を語る」という役割だと思います。

個人的な話で申しわけないのですが、この間ちょっとチャレンジをしまして……実は今、うちは七人家族になっているんです。娘夫婦と三人の孫と、われわれ夫婦で同居を始めました。プラス・マイナスがあって、ちゃんと計算すると全体的にちょっとプラスなんですけど（笑）。その中で私が年寄りの役目としてやっていることの一つが、夕食のときなんかに歴史を語るということです。

今は世の中がものすごく便利になりましたが、孫も子どもたちも、昔のことを全然知らないんですね。私の祖母は小さな畑をつくっていました。その畑の肥やしがなかなか手に入らなかった。当時はまだ荷車を引いた馬車が道を通っていました。その馬が時々、ふんをしますね。それで私は馬車の御者にお願いして、バケツを持って馬のふんを集めて、それを肥料にしていたという体験があるんです。この前、この話をしたら、孫たちがびっくりしていました。これはただの昔物語といえば昔物語なんですけれど、彼らは歴史上、そういう時代もあったことを知らないわけです。そういう時代もあって今があるんだという、そこに感謝の気持ちをもってほしい。私ら年寄りには、歴史をつなぐという役割があるのではないかと思います。

二つ目は「分類」ですね。もやっとした概念を分類して、まとめることも、やっぱり高齢者の役割だろうなと思っています。最後が「言語化」です。言葉にするということですね。そこには年齢を経ないと出てこない経験値みたいなものは必要だろうと感じます。私は二五〇〇名ほどの方を看取り、その経験を「人は生きてきたように死んでいく」という言葉にしました。しっかり生きてきた人はしっかり亡くなっていくし、周りに文句ばかり言ってきた人は文句を言いながら死んでいく。だから、「人は生きてきたように死んでいく」というのは、私の言語化なんですね。ある程度の歳をとらないと出てこない知恵だと思うんです。

釈　実際に老いの姿を見せるだけでも、大きな意義というか、意味みたいなものはあると思います。東日本大震災のときに陸の孤島みたいな所に取り残されて、数日間、救助を待っていた方の話を聞いたことがあります。その方は高齢者施設の所長さんなのですが、津波が来そうで危ないということで、施設のご利用者さんと一緒に、少し高台にある学校に避難されました。そこには近所の人や幼稚園からも避難してきて、そのまま数日、救助を待って過ごさなければならなくなった。寒い真冬でしたし、水も食料も満足になくて、みんなで身を寄せ合って救助を待つという状況だったそうです。

みんな不安でイライラしていますし、救助をただ待つといっても、いったいいつになったら来るのかわからない。「それでトラブルは起きなかったんですか」と訊いたら、やっぱり何度か緊迫した状況にはなったらしいのです。でも、「そのつど、ご高齢の方と子どもの存在に助けられました」とおっしゃっていました。危機状況のときに、多様な年齢の人が、特に高齢者と子どもの両方がいるというのはいかに大事かということを実感したというのです。その話をうかがって、われわれの社会は、やっぱりそういうふうにできているんだなと思いましたね。多様な年齢の方が、互いに手を取り合って、身を寄せ合って社会を運営する。そういうことが、危機状況にあっても強い社会を構成するのではないかと思いました。

その場を「脱臼させる」笑いの力

柏木 少し話題を転換しましょうか。今日の対談のサブテーマである「ユーモアと宗教」のことです。先ほども申しましたが、釈先生をテレビで拝見しておりますと、その場にふさわしいユーモアをさっと出される。いやぁ、すごい力をもっておられるなと感心しています。先生ご自身の日常生活の中で、ユーモアはどのような位置づけになっているのか、お聞かせいただけませんか。

釈 私は、ユーモアそのものといいますよりも、ユーモアも含めた「宗教文化としての芸能」の研究もしております。宗教というものは、何かぎゅっとフォーカスされていくといいましょうか、生き方がだんだんと収斂《しゅうれん》されていくような、そういう強い力をもっていいます。ただ、あまりに強い力なので、そこにユーモアや芸能が絡んできて、がくっと「脱臼させる」、あるいは「拡散させる」ことが本当に大切だと思っているんです。

たとえば、先生の書かれているものでも、死を目前にした患者さんがユーモアを語られるわけですよね。その場に生じるある種の緩み、枠ががくっと外れる感覚は、ご本人にとってもすごく重要なことでしょうし、周りにいる方にとってもすごく重要なことだろうなと思うんです。それが笑いのもつ独特の力じゃないかと考えています。

柏木 先生のお話をうかがいながら、本文にも書いた一人の患者さんのことを思い出しました。乳がんが肺に転移をして、痛みがひどく、ホスピスへ入られた女性です。精神的には非常に落ち着いていて、冗談を言ったりはされませんが、とにかく柔らかい雰囲気をおもちの方でした。ある日の回診のときに具合をお尋ねしたら、「先生、おかげさまで順調に弱っております」と答えられた。それを聞いて、私は「この人はすごい」と思いました。なかなかそんな言葉は出てきません。

むつみ庵

釈　その言葉を発することで生じる、ある種、場を脱臼させるような緩みはすごく大事なことでしょうし、そこには老いや死の豊かさみたいなものも感じます。ご本人がどこまで意識されているかはわかりませんが、極限の場でユーモアを語るのは、「今、私はここにいます」ということの表現でもあるような気がします。

　自然とユーモアを身につけている方は本当におられて、私もこれまで何度か、そういう方に救われてきました。私はお寺の裏にある一軒家で、「むつみ庵」という認知症の方のグループホームを運営しているんですけれども、この家にも、時々そういう何ともいえないユーモアをおもちの方が入居してこられます。なおかつ、そういう方は、人からお世話をされるのが上手なんですよね。それを見て彼らのような「お世話され上手」を目指したいと思って、あちこちでお話ししています。お世話されるのが上手な方の共通点としては、やっぱり何ともいえない愛らしさとユーモアをもっておられるということがあると思います。

柏木 適切な表現かわかりませんが、かわいいんですよね。かわいいお年寄り。

釈 確かにそうですね。それで、そういう方がおられると、不思議とこの家が上手に回るんです。日本家屋での少人数の共同生活で、お引き受けできるのは最大でも九名までです。十数名のスタッフで運営していますが、「お世話され上手」の方が一人おられるだけで、本当に物事がうまく回るんですよ。

これまで何人か、「お世話され上手」な方に出会いましたが、皆さん、こだわりというものがない。「自分はこうでなきゃ辛抱できない」とか、「俺はこんな人間なんだ」みたいなことを言う人は、一番お世話がしにくいし、お世話され下手ですね。

考えてみたら、現代人は、人のお世話になることがすごく苦手になっている気がいたします。たとえば、昔は今よりもっと地域のコミュニティが豊かでしたから、割と上手に人に迷惑をかけたり、かけられたりして暮らしていたんです。それに対して、「他者に迷惑をかけないかぎり、それぞれの自由を最大限に認める」のが都市の論理で、これが現在のわれわれの社会の大きな主流になっています。だから現代人は、人にお世話をしたり、お世話をされたりすることが苦手になっているんじゃないでしょうか。そんな中、「お世話され上手」の人を見ておりますと、自分もあんなふうに老いていきたいなと思います。

「集める人生」と「散らす人生」

柏木　言語化することが高齢者の役割ではなかろうかと言いましたけど、先生の「お世話され上手」はまさに言い得て妙ですね。

私も二五〇〇名の方の看取りを通して、いろいろと考えたことがあります。まず、人生には「集める人生」と「散らす人生」があるというものです。集める人生とは、特にお金がわかりやすいのですが、損か得かで判断して、とにかく自分のために集めるわけです。一方、散らす人生というのは、あちこち寄付して回るとか、周りの人のためにお金や知識を使う人生です。中でも人生で一番大きいのは、時間の使い方だと思うんです。

自分の時間を人のために「散らす」といいますか、人のために使ってきた人は、変な表現ですけど、非常に看取りやすい方が多いですね。逆に、ずっと時間を自分のために「集める」人生を送ってきた人は看取りにくい方が多かったように思います。その方が「集める人生」を送ってきたのか、それとも「散らす人生」を送ってきたのかは、生活史をお尋ねすると大体わかるものです。私の経験上、多くの場合、今までの人生が、その後の闘病生活、それから衰弱してきたときの状態、さらには亡くなるまでのプロセスに反映されると感じます。

釈　そうなんですか。

柏木　ところが時々、自分のために「集める人生」を生きてきた人が、最後の最後に、人のために時間を使う「散らす人生」に変わることがあります。

ある患者がおられました。それまで不満を生きる糧にしてきたような人だったそうです。確かにホスピスでも不満ばかり言って、スタッフにも強くあたる方でした。それが、亡くなる二週間前に何か大転換が起こりました。すごく感謝の人になられたんですね。あまりに急な変化に看護師が驚いて、「病室に行ったら『ありがとう、お世話になるな』と言われました。あの患者さんからこんな言葉が出るなんて信じられません」と私に言うんです。私、わからなかったら正直に患者さんに尋ねるのが一番いいと思っているので、その人のところに行って、「実はあなたの変化にみんなびっくりしてるんですよ。何かありましたか？」とはっきり訊いてみたんです。すると、しみじみ、こう言われました。「だんだん身体が弱ってきて、本を読む気もしないし、テレビを観る気もしない。それで一日中ぼーっと天井を見ていると、今までの人生が頭に浮かんできてしまったんです。たくさんの人にお世話になりました。その割に、私は人のために何かをしたことは本当に少なかった。自己中心的な人生だったな、これではいかんよなと、そうすごく思うようになったんです」と。こんなことを言う人ではなかったんですよ。でも、今は本当にそう思っておられる。それが言葉に、態度に表れているのを感じました。

私は「最後の跳躍」と言っていますが、多くの人を看取ってきた中で、時々そういう方がおられました。「人は生きてきたように死んでいく」というのが大原則だと思います。けれど、このように、いい例外もある。逆に、悪い例外もあります。いつも感謝の言葉を口にしていた人が、痛み、苦しみに耐えられず、文句ばかりを言われるようになる。それは医療の側の問題でもあるわけです。だから、症状のコントロールは非常に大切で、しっかりしたケアが必要なんです。

患者さんからの学び

釈 認知症の方は、生活する能力やさまざまな機能がどんどん枯れていってしまいます。ですから、今のお話にあるような、人生を振り返って〝こうすればよかったな〟と意識され、よい跳躍をするような方はあまりおられないかもしれません。調子のいいとき、悪いときを何度か繰り返しながら、ご本人も、老いや死を受け入れるというよりも、むしろ受け入れざるを得ない、抵抗するような能力もだんだんなくなっていくという感じです。

でも、先生もご存知のように、そのような状況にあっても、ご本人とスタッフみんなの思いがうまくかみ合うと、いい終末期を迎えられると思います。むつみ庵のスタッフはほとんどが、うちのお寺のご門徒さんなんですよ。人のいい田舎のおじさん、おばさんたちなんで、入居された方を自分の親のように扱って、椅子に座れなくなったら抱いて差し上げ、できるだけ口で食べてもらったりして、最後まで看取っていきます。私自身も利用者から学ばせていただいているように思います。

そのうちに、あるとき、自分自身が認知症になることをあまり怖くなくなっていることに気がついて、ちょっと驚いたんですよね。最初は認知症の方にどう接していいかさっぱりわかりませんでしたし、そもそも認知症には絶対になりたくないと思っていたんです。それが、いつの間にか認知症が怖くなくなっている。自分でも驚きました。まあ、できれば、ならないほうが助かりますけれども、なったらなったで、認知症者としての老いを生きられるような気が、今はちょっとしてるんですよね。

それに気がついたとき、はたと膝を打って、「なんとお釈迦様のおっしゃったのは本当だな！」と思いました。お釈迦様は、人生で避けることのできない苦しみである老・病・死などに取り組まれたわけですが、その苦しみを生み出す原因のビッグスリーとして、貪欲（とんよく）、瞋恚（しんに）、愚痴（ぐち）という三毒を挙げておられます。愚痴とは、きちんと本質がわかってないから苦しむとか、しっかり理解できてないから怖がるということなんです。それで「ああ、これも愚痴か」と思ったんですよ。

私は、今まで認知症についてよく知らずに、なりたくないと目をそむけていた状態でした。でも、認知症がどういうものであるかを知れば知るほど、少なくともむやみに怖がることはなくなりましたし、今は、認知症になったとしても認知症者としての人生が送れる気がしています。言ってみたら、一つ、苦しみの荷物を下ろせたわけでして、「なるほど、仏教の説いていることはこういうことか」と、認知症の方に逆に仏教を教えてもらうことになりました。

柏木　患者さんから教えていただくことはすごく多いですね。彼らは非常に力をもっておられる。死を目前にしているにもかかわらずユーモアを失わない方がおられて、本当にすごいなと思うんです。

その中でとても印象に残っているのが、肝臓がんの末期のおばあさんです。食欲が落ちてきて、ちょっと危ないなという感じがしておりました。精神的にもうつ状態になっておられ、困ったなという状況でした。ある日の回診のときに、具合をお尋ねしたら、「先生、もうあっさりしたものしか食べられんようになりまして、にゅうめんとかお豆腐とか、そんなんばっかりです」とおっしゃるので、「そうですか、それはつらいですね。そしたら以前は何が好きだったんですか」と続けたら、その方、「お金」って言われたんです。それを聞いて、みんな「え？」ってなって、その後、爆笑しまして（笑）。そこでいっぺんに盛り上がって、うっとうしい空気がすっと消えたんです。

そのときは「よかったな」と思ったんですが、後で振り返って、私、その答えにちょっと不自然さを感じたんですね。ユーモアとは、ずれです。流れからの、ずれがないとおもしろくない。でも、この答えはちょっとずれすぎているように思ったんです。それでその後の回診で「今思うと、ちょっと不自然に感じるんですけど」とお伝えしたんです。すると彼女が、「わかってしまいましたか」と言って、「実は、だんだん食べられなくなってきて、気分も落ち込むし……。先生も看護師さんも家族も暗い顔をしているので、何とかみんなで笑いたいなと思ったんです。あの日は私の言葉でみんなが一緒に笑いましたよね。それで、ああよかった、みんなで笑えたって思いました」と。それから一週間ぐらいして亡くなりました。もちろん、その出来事の後ずっと朗らかでなんかはいられませんでしたけれども、妙にこちらが気を使わないといけないような落ち込み方はないままに、穏やかに下り道を下られました。本当にすごい方でした。

笑いは生きる力に直結する

釈 落語や漫談でも、病院や医療の場がよくお笑いのネタになることは確かです。きっと独特の緊張感があるからだと思いますね。桂 文枝師匠のお噺なんですが、病院で点滴を受けるときに、カーテンの向こうの診察室からお医者さんと患者さんのやり取りが聞こえてくるときがあって、聞いていたら本当におもしろいそうなんです。お医者さんが「食欲ありますか？」と訊いたら、患者のおじいちゃんが「おかずによります」と返したり、おじいちゃんが「先生、右足が痛ぁて痛ぁて我慢できん。何とかしてください」と言うと、今度は先生も「歳やがな」と言ったりするらしいんですよね。「もうほっといたらええねん。しゃあないがな、歳いったら」と。おじいちゃんも大阪の人だから負けてないんですよ。「先生、せやけど左足も右足と同い歳やけど、左足はどないもなってまへんで」って（笑）。

何度か病院で落語会や笑いのシンポジウムをやったことがありますが、たとえば落語の「犬の目」みたいな、ものすごくいい加減なお医者さんが出てくる噺を病院で聞いたら、やけにおかしいんですよ。看護師さんなんて、ひいひい言って笑ってるんですよね。医療や老い、死と隣り合わせの現場のような、独特の緊張感をもった場に笑いがもたらす力は大変重要ですし、これはわれわれの生きる力にも直結しているような気がします。先生も引用されていますが、強制収容所から生還したフランクルが著書の『夜と霧』でユーモアの大切さに触れていますね。

亡くなったC・W・ニコルさんも同じようなことを言っていました。遭難等の極限状況にあるときに、人並外れて頑健な肉体をもっている人が生き残るかというと、そうでもない。じゃあ、人並外れて強靭な精神をもっている人が生き残るのかというと、これもそうでもないというんですね。実は、ちょっとした折にジョークを言ってみんなと笑ったり、今日は夕日がきれいですねとか、こんなところにかわいらしいお花が咲いてますよとか、そういう人が生き残るというんです。どうにも行き場がない状況のときに、それをがくんと外すような笑いの力を身に備えることは、そのまま、生きていく力に結びつくんじゃないか、そんな気はします。

柏木 笑いが人間の健康状態に与える影響については、非常にたくさんの科学的な事実が出てきています。ご存知かと思いますが、免疫細胞の一つであるナチュラルキラー（NK）細胞の活性を調べた研究があります。何人かのボランティアにお願いして、一方には小難しい、つまらない話を聞いてもらう。もう一方にはおもしろい漫才

を聞いて、大いに笑ってもらう。それで、双方のグループからその前後の血液をいただいて、ＮＫ細胞の活性状況、要するに免疫力を調べたわけです。すると、かなりはっきりとした差が出るんですね。笑ったグループはＮＫ活性が高まって、つまらない話を聞いたグループはＮＫ活性が下がってしまったんです。私もまだ時々、学校で講義をしますが、それを知ってからは、学生のＮＫ活性を下げたらいかんなと思って、授業のところどころで笑いを入れるよう工夫をするようになりました（笑）。ですから、先生もおっしゃるとおり、笑いとかユーモアの部分を日常生活の中で意識的に高めることが、健康維持という点でも大切だと思っています。

意識的に笑う——自己を守るバリアを外す

釈 おそらく人類は、笑いが喜びや幸せにつながるということを昔から経験的に知っていたんでしょうね。各地に笑うお祭りがありますから。

柏木 山口県には「笑い講」がありますね。

釈 大阪の枚岡神社の「お笑い神事」、和歌山の丹生神社の「笑い祭」もそうですね。きっとあれは、みんなで笑うことによって神様を招いて、神様を歓待して、そして恵みをもたらしてもらうという理屈になってるんだと思います。最近は「笑いヨガ」なんていうのもやっている人が多いらしいですよ。知人に聞きましたが、みんなでやるとすごく気持ちがいいそうです。これも心と身体を豊かにするようなトレーニングの一つなんでしょうね。

そうすると、老いにとって笑いというのは、かなり重要なことなんでしょうか。思春期のころは「箸が転んでもおかしい」などといいますけれど、だんだんと電信柱が倒れても笑わんようになりますからね(笑)。笑うというのも一つの能力かもしれませんね。

柏木 それは、もう意識的に笑ってやろうというぐらいの心意気が高齢者には必要なんじゃないかなと思いますね。おもしろいから笑うのではなく、笑うからおもしろいんだというようなこともありますのでね。身体を動かすことで、その行動に伴うように心の変化が起こりますから。

釈 少なくとも、その場にいるみんなで笑うというのは、ある種のチューニング能力が必要な気はしますね。その場に自分の心と身体をうまくチューニングしないと、他の人と一緒にどっと笑ったりはできませんよね。他者との間にバリアを強く張っていたら笑えないじゃないですか。だから、自己を守るためのバリアを外すという態度が必要だと思うんです。実は私、毎週、落語や講談や浪曲等のプロに来てもらって、その実演を観た後で講義をするという授業を長年続けてるんですよね。

柏木 おお、それはいいですね。

釈 「宗教と芸能」という授業なんです。でも、最初のうちは学生たちが全然反応できないんですよ。大体みんな固まっているんですね。そもそも今まで受けてきた講義とは違うというのはあるかもしれません。噺家さんがやってきて、目の前で落語を演じても無反応なんです。ところが、何回か授業を受けて、宗教と芸能の関係について学び、笑いや語り芸能について考えたり、繰り返し実演を観たりしているうちに、学生が上手に反応するようになってくる。講義の後半ぐらいになってくると、みんな、生き生きと笑うようになってくるんです。これはやっぱり、心と身体のバリアが少し下りて、柔らかな心と身体になって、うまくその場に反応できるようになってきたということなんだろうなと思うんです。

おもしろい人とおもしろがる人

柏木 笑うことで緊張がほぐれるということはありますね。ですから、講演の本題に入る前にひと笑いしていただくお話を挟むようにしています。自分も緊張から解放されたいし、聞いている方にもリラックスしてほしいので。

釈 えっ、すごいサービス。

柏木 なかなか笑わない人も多いんですけど（笑）。

釈 でも、うまく笑ってくれたら、その後のお話がいい感じになるのは間違いありませんものね。

柏木 ちょっと笑いが足りんかなと思ったら、最後にも笑えるような話をしますね。さらっと言うのがコツです。はじめと終わりでうまく笑っていただけたら、講演の中身も生きてくると勝手に思っています。

私の講演はやはり、ホスピスや死についてのものが多いんです。実はそうした重いテーマのときこそユーモアが非常に大切で、普通なら話題にしにくい老いや死のことを、笑いにのせて分かち合うことができるんですね。おそらく釈先生も随分、同じようなご経験をされているのではないかと思いますが、いかがでしょうか。

釈 法話や講演で、少し笑ってもらうネタみたいなのはいくつかあります（笑）。数人でも笑ってくれると、お話はしやすくなりますね。ご本人の気性もあるとは思いますが、お寺の本堂での法事であっても、上手に反応できる人がおられると、その場がすごくいい感じになります。

これはうちのグループホームでも同じですね。以前、元旅芸人という人生を歩んできたおばあちゃんが暮らしておられました。天涯孤独の身寄りのない方で、最後までうちのホームで生き抜かれました。この方が時々、カセットテープを鳴らしながら、銭太鼓みたいな踊りとか、かつて自分が身につけた芸を披露してくださったんですよ。

柏木 それは楽しそうです。

釈 普段から陽気な明るい方でしたし、スタッフも随分、助けられました。あの方がおられたおかげで、家が本当にうまく回ったと思っています。と申しますのも、新しく入居する方が入ってくると、どうしても家になじむまで苦労されるわけです。まるで知らない人たちと、一軒家で家族のように共同生活するのですから。比較的すぐになじめる方もいますが、なかなかなじめない方の中には、認知症の症状である帰宅願望が強くなって、「帰る、帰る」と訴えたり、ご自宅に本当に帰ろうとされたりする方もいます。そういうとき、このおばあちゃんのように、ちょっとしたユーモアといいましょうか、上手に場をつくる方が一人でもおられると、新しく入ってこられる方も大変スムーズに家になじまれるようなんですね。これまでのお話でもありましたように、笑いやユーモアには、構築されたものをいったん外すような力があるものですから、家の中の秩序といいますか、ヒエラルキーや枠組みみたいなものを笑いによって外してもらえるんだろうなと、横で見ていて思いますね。

柏木　ユーモアにはそんな効果もあるのですね。

釈　笑い自体に力があるんですね。そういう意味では、上手におもしろいお話をされる方がおられると助かりますけど、何気ないことでも上手に笑ってくれる人の存在も大きいんです。われわれなんかが「大しておもしろくないなあ」と思うことに対しても、すごくおもしろがる人がいると、これはこれでうまくいきます。別にその人がおもしろいことを言うわけじゃないんです。けれども、ちょっとしたことを上手に楽しむことができる人ですね。そういう人がいると、われわれも心が癒されて温かい気持ちになりますし、場の雰囲気が本当によくなります。

柏木　おもしろがれるという能力も大事なんですね。

釈　グループホームをしていて、家の雰囲気がいったんギスギスし出すと、なかなかに苦労します。何しろ普通の民家で暮らしているものですから、崩れた雰囲気を立て直すのには時間もかかりますし苦労します。けれども、おもしろいことを言うおじいちゃんとかおばあちゃん、あるいは何でもおもしろがったり大笑いしたりするようなおじいちゃんとかおばあちゃんが一人でもおられると実にありがたいですね。この方たちがいるおかげで、家として成り立つという感覚があります。

　また、その方を見送ると、しばらくは火が消えたように寂しくなるんですよね。でも、私はそれもまた、家の歴史としてすごく大事であるような気はしています。私も何人かの方をむつみ庵で看取らせていただいたとき、ここも「家」になったなと思いました。それまではどこかに「施設」という気持ちがありましたね。ところが、何人かの方を看取ったことで、「ここは家だな」と感じたんです。やっぱり「家」というのは、そこで生まれたり死んだりするような命の営みがあって初めて「家」になるんだなと思いました。かつてお世話され上手な方が暮らしておられたとか、すごくユーモアのある明るい方が暮らしておられたということがあって、まさにその歴史が今のむつみ庵をつくっているということを感じます。それまでの歩みが「家」としての厚みをつくってきてくれている、そう感じます。家は一朝一夕にできるものではありませんね。けれども、そうしてできあがった家が今は本当にいい場所になってるなと思っています。

豊かな老いを生きるとは

柏木 ありがとうございます。いいお話を聞かせていただきました。

ある介護老人保健施設で実際に私が体験したことをお話しして、締めとさせていただきたいと思います。ある介護老人保健施設の所長さんにお願いごとがあって訪ねたことあります。「今、来客中なので少し待っていてください」ということなので、待合室で立ったままお待ちしていたんですね。その部屋の外に長いすがあって、八〇前後のおばあさんが二人、かなり大きな声でしゃべっておられました。それで何となく、その会話を聞くとはなしに耳にしておりましたら、なまりが強い方たちで、一人のおばあさんが「あの世ちゅうのは、どんなとこかいのう」と言うわけです。そうしたら隣のおばあさんが「あの世はね、ええとこじゃと思うよ」と。そこで「なしてええとこやと思うんよ？　行った人は一人も帰ってこんがね」と会話が続くので、私も思わず笑ってしまいましてね。これが何かのネタではなく、ごく自然な流れの中でそういう会話を交わすおばあさん二人に、何だかすごくいいなあって。録音しておきたいくらいでした。

釈　いい会話ですね、本当に。

柏木　豊かな老いを生きるとは、こういうことなのかなと思います。お年寄りの多い日本ですが、何とかその暮らしの中に、ユーモアとか宗教というものが、もう少し入り込んで、役割を果たせる世の中になったらいいなと、今日、先生とお話をさせていただき思いました。本当にお忙しい中、ありがとうございました。

釈　とんでもございません。ありがとうございました。

（オンラインでの対談収録日　二〇二一年八月二七日）

柏木哲夫（かしわぎ・てつお）

ホスピス財団理事長、大阪大学名誉教授、淀川キリスト教病院名誉ホスピス長。1965 年大阪大学医学部卒業、同大学精神神経科に 3 年間勤務した後、ワシントン大学に留学。帰国後、淀川キリスト教病院にてターミナルケア実践のためのチームを結成、1984 年にホスピスを開設。1993 年大阪大学人間科学部教授に就任。1994 年日米医学功労賞、1998 年朝日社会福祉賞、2004 年には保健文化賞を受賞している。

主な著作＝『生と死を支える』朝日選書、『死にゆく人々のケア』医学書院、『死を学ぶ』有斐閣、『死にゆく患者の心に聴く』中山書店、『死を看取る医学』NHK 出版、『癒しのユーモア』『ユーモアを生きる』三輪書店、『いのちを輝かせるもの』いのちのことば社

老《お》いを育《はぐく》む

発　行　2021年12月25日　第 1 版第 1 刷©

著　者　柏木哲夫《かしわぎてつお》

発行者　青山　智

発行所　株式会社　三輪書店
〒113-0033　東京都文京区本郷6-17-9　本郷綱ビル
☎03-3816-7796　FAX 03-3816-7756
https://www.miwapubl.com/

印刷所　三報社印刷 株式会社

ISBN978-4-89590-744-6 C0047